실은, 엄마도 꿈이 있었어

실은,
엄마도
꿈이 있었어

여는 말

오랫동안 꿈을 그리는 사람은 마침내, 그 꿈을 닮아간다.

나는 책이 사람을 변화시킨다는 말을 믿는다. 소설가이자 정치가였던 '앙드레 말로'의 '오랫동안 꿈을 그리는 사람은 마침내, 그 꿈을 닮아 간다.'라는 문장을 가장 먼저 나의 색으로 내민다. 책의 문장 하나가 인생을 살아가게 한다는 걸 스스로 증명해 보이고 싶다. '꿈'처럼 사그라지지 않는 것도 없다. 스무 살의 꿈은 마흔다섯이 되어도 멈추지 않고 꿈틀거렸다. 그 길이 아니라고, 남들 가는 길로 안전하게 가라던 부모님과 주변 사람들의 충고에도 아랑곳하지 않고 내 마음 가는 대로 그렇게 멀리 있는 길을 돌고 돌아 인생 1막을 살아냈다. 그리고 지금, 인생 2막도 이 문장과 함께 가려 한다. 내겐 아직 이루지 못한 꿈이 있다. 남들과 다른 길이 분명히 있을 거다. 꿈을 찾고 있는 엄마를 반짝이는 눈으로 바라보는 아이가 있어 힘을 내기로 했다. 아이가 자라는 동안 엄마인 나도 성장하고 싶다.

꿈이란, 희망을 품은 자에게 다가오는 법이라고 했던가. 소중한 것을 잃으며, 한없이 무너져 내렸던 3년의 시간 동안 어두운 긴 터널을 침묵으로 버텨냈다. 스스로 일어날 힘을 발휘해 그 터널을 무사히 통과할 수 있었던 것 역시 앙드레 말로의 문장 덕분이었다. 헤어 나올 수 없을 것만 같은 깊은 어둠 속에 빠져본 사람만이 한 줄기 희망의 빛을 느낄 수 있다. 간절히 원하던 것이 손가락 사이로 남김없이 빠져나갔을 때 무너져 내리던 마음. 허무함. 자발적 이방인이기를 자처했던 시간이 헛되지 않았음을 이제야 안다. 내 안에 쌓였던 무수히 많은 자책과 사람들에 대한 원망은 모두 아픈 마음 때문이었다. 자발적 침묵의 시간에 글을 쓰기 시작하며 어둡게 젖어있던 마음이 하나둘 햇볕에 말라갔다. 뽀송하게 마른 검은 마음에 좋은 향이 피어났다. 더는 나를 자책하지 않는다. 어떤 상황에서도 나의 가치를 인정한다. 아이와 함께 부지런히 성장할 건강한 마음을 얻었으니까. 이대로 주저앉을 시간이 없다. 본격적으로 인생 2막을 시작해 볼 타이밍이다.

어둠의 나락으로 떨어져 빠져나올 방법이라곤 없어 보이던 때, 누군가는 비슷한 경험을 하고 같은 마음을 겪고 있을 때, 지푸라기라도 잡는 심정으로 이 책을 펼칠 누군가를 위해 '희망'이라는 이름을 전해주고 싶다. 당신도 다시 시작할 수 있다고. 자신의 이름으로 살아갈 수 있을 거라고. 주부라는 그 외로운 직업에서 빠져나와 세상에서 무엇보다 아름다운 나 자신을 만날 시간을 만들어보라고. 진심으로 만나서 얘기할 사람은 누구도 아닌 나였다고. 매일 글을 쓰며 그렇게, 소중한 자신을 한껏 안아주라고. 허투루 산 시간이 없었구나. 나의 자리에서 최선을 다해 살았구나. 잘 헤쳐왔구나. 인생 1막을 잘 살아온 자신을 꼬옥 껴안으며, 인생 2막을 열어가길 바란다.

이 책에는 내 삶의 질을 개선해보고자 '작은 도전'이라 이름 붙여 노력한 흔적을 그대로 실었다. '작은 도전'을 통해 선택의 질을 개선했더니 자연스럽게 생각과 감정의 질 또한 개선되었다. 부정적 감정이 긍정으로 바뀌면서 잊었던 꿈을 다시 찾게 된 의식의 전환이 일어났다. '작은 도전'은 작은 씨앗을 심는 것을 의미한다. 씨앗은 곧 느림의 미학이다. 느리게 가더라도 언젠간 잎이 무성하고 열매가 주렁주렁 달릴 튼튼한 나무가 될 날을 만들기 위한 준비단계로 나는 작은 씨앗 10개를 심었다. 내가 했던 방법만이 정답은 아니다. 도무지 어떻게 세상 밖으로 나와야 할지 모르겠을 때, 자신이 심을 수 있는 '작은 씨앗'을 하나씩 심어보라고 얘기해 주고 싶다. 밖으로 꿈을 펼치려면 안으로 움켜쥐고 있는 시간이 반드시 필요하다. 코로나19 덕분에 결혼 10주년 기념으로 계획했던 여행도 물거품이 되고 여전히 환불받지 못한 항공료가 있지만, 글 쓰고, 책을 내라고 부러 마련된 시간인 것 같아 참 감사한 시절이다.

2022년 까뮤 김상래

이야기 순서

잠시 잊은 시간

여전히 살아 있는 불꽃

다시 심는 씨앗

글을 쓰며
찾은 나

“상래는 남달라요. 꼭 그림을 시키세요.”

초등 6년 내내 선생님들께 그림 좀 그린다는 얘기를 많이 들었다. 그에 걸맞게 상장을 수두룩하게 받아 놓은 터라 그림만 잘 그리면 원하는 대학에 가는 줄만 알았다. 중학생이 되어서는 자연스럽게 화실을 다니게 되었다. 학교 가는 일이 기계적이었던 것처럼 학교가 끝나고 화실 가는 일 역시 내게는 밥 먹는 일과 같은 루틴이었다. 화실에 가서 클래식 음악을 들으며 연필, 도화지, 물감과 친하게 지내는 동안 친구들은 학교에 남아 ‘야자(야간 자율학습)’를 했다. 그 시절 나는 ‘야자’라는 게 참 궁금했다. 내게는 그 흔한 ‘야자’의 추억이 없다.

“어떻게 해. 내 만화책. 네가 가서 찾아다 줘야겠어.”

"얘들아, 어제 고구마 진짜 맛있지 않았냐?"
"단체 쪽지 돌리다가 걸려서 다 혼났잖아. 하하."

학교에 가면 알 수 없는 이야기가 친구들의 입을 통해 쏟아져 나왔다. 아침마다 그걸 듣는 재미가 쏠쏠했다. 추억을 함께 공유할 수 없음에 아쉬움을 쏟아내던 친구들의 야자 스토리는 매일 같이 조금씩 달랐다.

'영심이'는 나의 중학교 단짝 친구였다. 실명이다. 만화 '영심이'의 그 영심이와 정말 닮았다. 그런 영심이는 나만 보면 수다를 쏟아내곤 점심이 되기도 전에 배고파했다. 덕분에 10분밖에 없는 쉬는 시간에도 매점에 달려가, 손가락 모양으로 생긴 도넛을 몇 개씩 사서 오물거리며 전날 있었던 이야기를 들려주곤 했다. 점심을 먹고 나면, 여지없이 영심이의 핫한 만화책 이야기가 시작됐다. 요절복통 새로 나온 명랑만화를 반 친구에게 빌려줬는데 '야자' 시간에 돌려보다가 선생님께 딱 걸린 걸 제 것이라고 말하지 못한 모양이었다. 빌려 간 친구에게 받아 달라고 얘길 했는데 그 친구는 선뜻 교무실 문을 열지 못해 영심이가 교무실로 직접 찾아가 만화책으로 머리를 쥐어박히며 받아왔단 얘길 들었다. 그땐 그 모든 게 거대한 사건이었다. 기억은 언제나 내가 생각하고 싶은 대로 왜곡되어 남겨진다. 지금은 그저 웃음 나는 예쁜 추억으로 남아있다.

고등학교때는 인순이라는 친구와 단짝이었다. 공부를 안 하는 것 같은데 늘 상위권을 유지하던 인순이가 전해주는 '야자' 얘기도 정말 재미있었다. 이 친구는 '선도부'면서 '야자' 시간에 친구들과 꿍짝이 잘 맞았다. 겨울이면 난로를 피우던 시절, 한 친구가 고구마를 가져온 거다. 포일에 감아 난로 안에 넣어둔 고구마가 그럴싸하게 익으니 모두 그걸 먹어 보려고 기다렸던 모양이다. 그런데 이 고구마 익는 냄새라는 게 어찌 안 날 수가 있나. 맛있게 익어가는 냄새가 나자 '야자' 담당 선생님이 나타났다고 했다.

"누가 고구마를 난로에 구워 먹으라고 했지? 고구마 넣어 놓은 사람 나와."
"제가 했는데요."

인순이는 의리의 여장부였다. 난 예나 지금이나 의리 있는 사람을 참 좋아한다. 씩씩하고 용감한 인순이는 손바닥에 불이 나도록 얻어 맞았다고 했다. 그런 이야기들은 아침에 등교한 내게 참 부러운 추억거리였다. 한 번도 '야자'를 해본 적 없는 나로선, 친구들과의 소소한 학창 시절 떠올릴 야자 기억이 없는 건 앙꼬 빠진 찐빵 같은 게 아닐까? 다시 그 시절로 돌아간다면 화실과 미술 학원으로 가는 시간은 딱 1년만 하고 모든 시간을 친구들과 함께 보내보고 싶다.

인생에 단 한 번의 학창 시절이라 더 아쉬운지도 모르겠다. 야자 이야기를 실감 나게 해주던 구수한 이름의 내 친구 영심이와 인순이가 보고 싶어지는 날이다.

홍대? 한예종? 미련 때문일지도 모르겠다

이상은 높다. 현실은 내가 가고자 하는 방향으로 흐르지 않는다는 게 늘 문제였다. 실력이 없었던 것인지, 운이 없던 탓인지 나는 보기 좋게 가고 싶었던 미대에 떨어졌다. 결국, 화실 원장님의 설득으로 일주일 만에 다시 후기대를 준비하는 입시생이 되었다. 다행히 후기로 세 군데 대학의 시각디자인, 산업디자인, 영상디자인과에 지원해 모두 합격했다. 원장님의 원픽은 국내 유일의 영상디자인과가 있던 예술대학이었다. 미래엔 영상디자인이 전 세계를 이끌 거라며 무조건 그 과에 입학하라고 하셨다. 학비는 우리나라 대학들 가운데 두 번째로 비쌌다. 이유는 학과 장비가 있는 유일한 학교였고, 그 장비들이 굉장히 고가였기 때문이었다.

어쨌거나 대학생이 되었다. 그간 학교, 화실, 집밖에 모르고 살았으니 그림 그리는 일은 그만두고 대학 캠퍼스의 낭만이라는 걸 맛보고 싶었다. 잔디밭에 대자로 누워 철학과 낭만, 사랑이 흘러넘치는 추억을 만들 작정이었다. 막걸리 한 사발씩 돌리며 괴테를 얘기하고 헤르만 헤세의 '데미안'을 나누게 될 줄 알았다.

드라마를 너무 많이 봤나 보다. 그것조차도 이상일뿐이었다. 입학과 동시에 쏟아지는 과제들로 날 새는 일이 비일비재했다. 팀 작업을 해야 했기에 모두 작업실을 구해 매일 같이 모여 영화 분석, 콘티 작성, 스토리보드 작업을 했고, 영화 장비를 싣고 다니며 촬영과 편집, 장면에 맞는 음악을 찾아 사운드를 입히는 일을 일상처럼 했다. 강의실 한편에 쭈그리고 자다 새벽에 일어나 세수도 못한 채 1층 자판기에서 라면을 뽑아 먹는 일도 일상이었다. 군인도 아니면서 추운 날의 일상복은 늘 깔깔이였다.

한 번은 여자 셋이 한 팀이 되어 코카콜라 CM을 만들겠다고 나섰다. 라텍스를 뭉쳐 코카콜라병을 만들고 표정을 입힌다고 눈알을 삶아 색칠했다. 작은 무대 위에 코카콜라병이 춤을 춰야 했는데 그때 무대에 자욱한 안개 같은 게 필요했다. 드라이아이스를 이용해 보기도 했지만 역부족이었다. 선배들에게 담배 연기가 카메라에 잘 잡힌다는 얘기를 들었다. 순진한 우리 셋은 그날 모두 과 동기들에게 구해온 담배를 입에 물고 연기를 훅훅 뱉어냈다. 어지러웠던 순간, 내 인생 처음 피워본 담배 맛을 잊을 수 없다. 과제를 위해 몸을 불사르던 시절이다.

또 한 번은 단편 영화 촬영차 아는 지인이 운영하던 커피숍을 빌렸다. 그런데 촬영을 하는 도중 천장에 불이 붙었다. 그걸 끄고 지우개로 박박 지우느라 목이 부러질 뻔한 기억도 떠오른다. 그날도 며칠 밤을 새우고 조명기를 들고 졸다가 일어난 사건이었다. 지우개로 그을음이 지워져 다행이었지만 지인에겐 한참이나 미안한 마음이 들었다.

사랑과 낭만은 영화 속 이야기였다. 학교, 집만 오가던 학창시절과 달라진 건 장소뿐이었다. 내가 무슨 영화인이 꿈이라 영상디자인과를 선택한 것도 아니었으면서 용기를 내 일탈을 꿈꾸지도 못한 채, 2년의 세월이 순식간에 지나갔다. 한 학기를 마치고 나니 동기들이 하나둘 보이지 않았다.

"야, 그 애 재수한대. 홍대 떨어졌다고 다시 준비한다나 봐."
"그래? 난 이제 그림이라면 지긋지긋하다. 홍대고 뭐고 바빠죽겠다. 과제 하느라 신경 쓸 겨를도 없어. 잠이나 실컷 자봤으면 좋겠다. 우리는 어째 대학을 와도 이렇게 바쁘냐."

그렇게 시간이 흐르고 보이지 않던 동기들이 하나둘 홍대에 입학하거나 한예종에 들어갔다는 소식이 전해졌다. 원하던 길을 찾아 떠난 그들과 남아있던 나의 삶은 다르게 흘러갔다. 그때 내가 재수를 했더라면 좋은 소식을 전하던 동기들처럼 되었을까? 원하던 대학에 들어갔다면 내 인생이 지금과 달라졌을까? 그때 아빠의 권유를 뿌리친 게 이 나이 되도록 두고두고 후회로 남는다. 가보지 못한 길이 뇌리에서 떠나질 않는다. 여전히 그 학교 이름만 들으면 무언가 아직 끝나지 않은 게 있는 것 같은 느낌이 든다. 미련 때문일지도 모르겠다. 여전히 학구열에 불타거나 배우고자 하는 의욕이 사그라들지 않는 이유가 거기에 있는 건 아닐까? 내가 가지 못한 길에 대한 아쉬움. 선택하지 않은 것에 대한 내 가능성의 결핍 때문은 아닐는지.

쓰면서도 낯부끄러워지는 그 시절의 뻔뻔한 이야기

1996년 8월 영등포

대학 새내기의 첫 방학, 지인의 소개로 신세계 백화점에서 '테팔 프라이팬'을 팔았다. 테팔 프라이팬은 프랑스에서 1996년, 내 첫 아르바이트와 함께 출시된 이래 전 세계에서 1억 개가 넘게 판매된 그야말로 프라이팬 계의 신적인 존재다. 특별히 잘 살지는 않았지만, 그렇다고 힘들게 살지도 않았던 내가 처음 해본 아르바이트는 그 프라이팬을 파는 일이었다.

물 건너온 따끈한 신상 프라이팬을 파는 일이 쉽지만은 않았다. 아침 9시부터 7시까지 점심시간을 제하고 꼬박 서 있는 일이 너무 고통스러웠다. 지나가는 손님이 있을 때마다 제대로 알지도 못하는 수

입 프라이팬에 대한 설명을 장황하게 늘어놓는 것도 사회생활 전무했던 그 시절의 내게는 너무나 낯부끄러운 일이었다.

잠깐 숨 고를 시간만 나면 화장실에 가서 엉엉 울고 나왔다. 서 있는 내내 눈이 벌게질 줄 알면서도 울음을 참지 못해 그 일을 반복했다. 손님이 없는 틈을 타 프라이팬 매대 한쪽 모서리에 잠시 걸터앉기라도 하면 담당 매니저가 달려와 바로 지적을 했다. 옷매무새를 단정하게 하고 손님이 없을 때도 가지런히 서 있으라는 신신당부를 받았다. 생각해 보면 참 어렸다. 그때 내게 힘이 되어 주었던 건 함께 아르바이트했던 타 대학 학생들의 응원이었다. 일하는 매장은 각기 달랐지만 오며 가며 작은 사탕 하나씩을 건네주기도 하고, 일이 먼저 끝나면 함께 가자고 기다려 주기도 했다.

매일 울보처럼 서 있던 나를 순수하게 좋아해 주던 남학생도 있었다. 지금이야 누군가 내게 호감을 표하면 진심으로 감사하다는 말을 먼저 하지만, 그땐 철이 없어도 너무 없던 시절이라 싫으면 싫은 티를 팍팍 내고 다녔다. 그때의 나를 지금의 내가 반성한다. 그 후로 몇 년은 아르바이트생들끼리 연락을 주고받고 만나기도 했다. 대학을 졸업한 이후, 사는 일이 바빠 연락이 끊겨버린 건지 휴대폰을 바꾸면서 그렇게 된 건지 알 수는 없지만, 시간이 흐르듯 자연스러운 일이었다.

1996년 7, 8월 안양

두 번째 아르바이트는 1996년 7월에 개봉한 '아기공룡 둘리 극장판' 할인권과 사은품을 나눠주는 일이었다. 그 당시에는 '둘리'가 최고의 애니메이션이었다. 일을 담당하던 아저씨가 봉고차에 실어 어느 초등학교 앞에 내려주면 왁자지껄 떠들며 나오는 아이들에게 부채나 책받침 등을 할인 입장권과 함께 나눠주면 되는 거였다. 우르르 몰려나오던 작은 아이들은 공짜 선물에 기분이 좋아 너, 나 할 것 없이 달려들었다. 사은품의 인기로 마치 내가 유명 연예인이라도 된 기분이 들기도 했다. 다른 학교로 이동해 같은 일을 반복하면 몇 시간 만에 생각보다 큰돈을 벌 수 있었다. 어떤 때는 대형 브로마이드를 붙이고 다니기도 했고, 또 어떤 때는 극장 앞에서 입장권을 받고 사은품을 나눠주기도 했다.

매일 있는 일이 아니었기에 우리는 그 일을 '꿀 알바'라고 불렀다. 기회가 왔을 때 다른 일을 하고 있다면 놓칠 수 있는 일이었다. 울면서 프라이팬을 팔았을 때보다 수입은 좋았고, 훨씬 덜 힘들었다. 종일 일하지 않고도 넉넉한 돈을 만질 수 있었던 96년 방학 때의 추억이다.

1997년 겨울 구로공단 (지금의 구로디지털단지)

구로공단은 80년대까지 봉제, 섬유, 합성수지, 광학기계 등을 생산하는 공장지대였다. 90년대부터 공장들이 해외로 생산시설을 옮기면서 공단의 이미지에서 '패션 아울렛'으로 변해갔다. 내가 아르바이트를 했던 97년부터는 봉제, 섬유공장들이 공장 일부를 할인매장으로 바꾸며 패션 타운이 조성되기 시작했다. 그때, 마리오 아울렛은 백화점 수준의 컨셉으로 출발했다. 이곳은 의류업체 공장에서 직접 운영하는 대형 매장이 있었고, 출고한 지 1년 미만의 이월 상품을 30~80% 할인된 가격의 질 좋은 옷들을 판매했다.

하루 유동 인구가 4만 명이나 되었고 동대문·남대문 등 저가 의류를 판매하는 복합의류 매장과 달리 최고의 브랜드를 최상의 가격으로 살 수 있는 패션타운이었다. 그 당시 나는 문정동이나 이태원으로도 옷을 사러 다녔는데 그곳과 비교해도 구로공단은 품질 면에서 월등했다.

내가 아르바이트를 했던 곳은 구로공단의 GUESS 이월매장이었다. 최대 80% 할인된 가격의 예쁘고 질 좋은 옷들이 많은 곳이었다. 그래서 종종 아르바이트 비를 받아 이곳에서 저렴하게 옷을 사 입기도 했다. 옆 매장에는 스키복 이월 상품을 팔고 있었는데, 친절한 매장

관리인이 스키복을 선물로 주기도 했다. 아르바이트하느라 스키장에 갈 시간이 없었기 때문에 선물 받았던 고급스러운 스키복은 단 한 번도 입어보지 못했다. 사회생활을 하며 스키장 갈 일이 있어 스키복을 찾았지만, 도무지 간 곳을 알 수 없었다. 90년대 말, IMF 외환위기가 터지면서 구로공단에 있던 업체 70~80%가 부도로 문을 닫거나 아예 지방으로 옮겨가며 내 아르바이트의 추억도 사라져갔다.

1998년 여름 강남역

90년대 후반 '타워 레코드'는 지금의 '지오다노' 건물이었다. 동기들과 약속을 잡을 땐 늘 그곳에서 만나곤 했다. 당시 우리 집에서 강남역까지 가는 일은 여행을 가는 것과 마찬가지였다. 내가 잠시 아르바이트를 했던 카페는 연예인이 되고 싶은 친구들이 주로 일을 했던 곳이다. 그곳에서 아르바이트를 하다가 눈에 띄어 연예인이 된 아이들이 있다고 하는 게 더 정확할 것 같다. 친구들 사이엔 그 카페에서 일하면 나름 인정해 준다는 분위기가 있어 이력서를 들고 갔다.

면접을 통과한 다음 날, 문을 열고 카페에 들어가니 덜컥 겁부터 났다. 가뜩이나 없는 기억력에 주문 내용을 모두 기억하지 못하고 사람들의 반응에 바로바로 대응해야 하는 그런 일들에 적절한 파도타기를 하지 못할 것이 뻔했기 때문이었다. 좋고 싫음이 유별나게 눈에 보여 며칠 서빙을 보다가 아프다는 핑계로 그만두고 나왔다. 서비스 직종엔 영 소질이 없었다.

생각해 보니 부모님께 참 감사한 마음이다. 등록금을 마련하면서 힘들게 학교에 다니지 않았고, 방학이 되면 원하는 만큼 아르바이트해서 나를 위해 쓸 수 있었다. 또한, 친화력만큼은 타고나게 해주신 덕에 좋은 지인들을 곁에 두고 아르바이트 자리도 때마다 잘 구했으니 말이다. 쓰면서도 낯부끄러워지는 그 시절의 이야기를 뻔뻔스럽게 할 수 있는 건 그때의 철부지 모습도 내 모습이었기 때문이다. 지금은 많이 자중하고 반성하며 간간이 그때 그 시간을 더듬으며 살고 있다.

네가 정말 해보고 싶은 걸 해
인생은 한 번이고 넌 소중하니까

대학을 졸업하고 강남에서 제일 크고 유명한 컴퓨터 학원 멀티미디어 1년 과정을 등록했다. 웹디자이너의 전망이 좋을 거라던 시대의 흐름을 따르기 위해서였다. 그렇게 학원을 수료하고 동기 두 명과 같은 회사에 취업이 됐다. 나의 첫 웹디자이너로의 길은 국가사업이라는 타이틀이 걸린 '국립현대미술관'과 '독립기념관'의 홈페이지를 디자인하는 일이었다. 학원에서는 절대 배울 수 없는 실무를 차근히 배워나갔으니 시작이 좋았다. 동기들과 매일 같이 미술관으로 출근하는 일도 꽤 근사했다.

클래식 음악이 깔리듯 근사했던 인생길은 미술관 프로젝트가 끝나고 독립기념관으로 옮겨졌다. 그곳에서 웹 작업을 했을 땐 기숙사 형태의 직원 숙소에서 머물렀다. 하루하루가 여행하는 것 같았다. 눈을 뜨면 역사 속으로 걸어 들어갔고 일이 끝나면 직원들과 숙소에서 회식 자리를 갖기도 했다.

그곳에는 직원들을 참 못살게 구는 상사가 한 명 있었다. 그때도 나는 누가 사람들을 괴롭히거나 못살게 구는 걸 참지 못했던 것 같다. 당시 군것질거리로 오징어 땅콩 과자를 자주 사 먹곤 했는데, 겉만 모두 발라먹고 속에 있는 땅콩만 모았다. 그리곤 잘 마른 땅콩을 술안주 하라고 그분의 손에 쥐여 드렸다. 친한 동기들은 두고두고 그 일을 회상하며 나 때문에 못 살겠다면서 은근히 통쾌해했다. 그때 내 별명은 '광년이'었다. 느지막이 결혼해 아이 낳고 사니 그 똘끼가 많이 가라앉은 모양이다. 지금이야 그런 식의 어린 응징을 하진 않지만, 여전히 그런 부류는 좀 밥맛이다.

두 번째 회사는 고려 계열사 중 교육 파트였다. 말단 디자이너로 입사해 주 6일을 밤낮없이 일하느라 힘들었지만 나를 성장시켜 준 멘토 같은 분을 만난 곳이다. 그분은 이탈리아에서 유학하고 온 웹 총괄 팀장님이었다. 까무잡잡하고 반질거리는 피부, 경상도 사투리가 진하게 묻어나던, 마음이 따뜻했던 분. 상사에게 할 말은 하고 함께 일하는 직원들은 감싸주던 그야말로 드라마 〈미생〉의 '오상식' 같은

정의감 넘치는 분이셨다. 다시 말하지만, 나는 의리 있는 사람을 좋아한다. 그분이 들려주는 유학 시절 이야기들이 흥미로웠다. 아이디어가 좋으니 이곳에서 주저앉지 말고 더 큰물에 가서 배우고 돌아오라는 얘길 해주셨던 분이기도 하다.

아직 어린 나이이고 돈을 벌기보다는 가진 재주를 더 발현시키라는 그 말이 항공권을 끊게 했다. 어린 시절 프랑스를 동경하던 나의 마음에 그의 이탈리아 이야기가 결정적 불쏘시개 역할을 한 셈이다. 주 6일 동안 밤샘 근무를 하고 일요일엔 집에 들어가 잠시 눈을 붙이고 다시 회사로 돌아가는 일은 사람들과의 관계가 아무리 좋아도 고단하기만 할 뿐 내적 성장을 가져다주지는 못했다. 1990년대 말, 2000년대 초, 밤새우며 일하는 게 당연하던 때의 이야기다.

그때 같이 일하던 직원 중엔 광주 출신 디자인팀 선배, 동갑내기 개발자, '애니메이션 광'이면서 서울대 의대생과 연애 중이던 '토깽이'란 별명의 선배, 그리고 술만 마시면 넥타이를 머리에 두르고 테이블 위에 올라 춤을 추던 영업팀장이 기억에 남는다. 영업팀장은 술만 마시면 부둥켜안고 춤을 추고 싶어 하는 바람에 다들 도망 다니기 일쑤였다. 그런 술자리를 좋아하지 않던 드라마 〈미생〉의 오상식 같은 팀장님이 몰래 집으로 보내준 덕에 안전하게 돌아오던 일도 기억난다. 회식문화가 바뀐 건 참 잘 된 일이다. 각자의 삶을 살 시간은 꼭 필요하다.

사회생활도 역시 대학의 연장 선상이었다. 왜 다들 쉬지 않고 달려만 가는지 이해할 수 없었지만, 함께 달리며 살았다. 공부에 대한 미련은 그때나 지금이나 벗어날 수 없는 어떤 굴레 같은 건가 보다. 사회생활 4년 만에 슬럼프가 찾아왔다. 계속 다녔으면 좋은 자리가 생겼을지도 모르겠다. 몇 년 공부하고 다시 돌아와도 세상에 내 자리는 여전히 있을 거라고 팀장님이 얘길 해주셨다. 넓은 세상에 나가 내가 정말 하고 싶은 걸 해보고, 그때도 이 일이 괜찮다 싶으면 다시 해도 늦지 않다는 말도 덧붙이셨다. 어찌 된 일인지 웹디자인 일을 하면서도 마음 한편엔 영화에 대한 미련이 남아 있었다. 영화가 뭔지도 모르며 대학 생활을 했으면서 말이다.

팀장님은 사랑하던 사람과 결혼해 이탈리아로 함께 떠났다고 말했다. 그곳에 8년을 머물며, 부인은 아이를 여럿 낳고 키우느라 공부의 끈을 놓을 수밖에 없었단다. 공부와 아르바이트를 병행하던 팀장님은 가족들과 함께 한국으로 돌아와 이곳에 취직했다. 이러한 선례가 있었기에 프랑스로 가게 되면 남자 쳐다보지 말고 무조건 공부하는 데만 전념하라고 했다. 정해놓은 시간 안에 목표를 이룰 수 없으면 시간을 지체하지 말고 바로 돌아오는 게 현명하다고도 했다. 특별한 일거리 없이 눌러앉게 되면 다시 돌아오기 힘들어진다고. 그렇게 밥벌이를 그만두고 프랑스행 비행기에 올랐다.

인생에 한 사람쯤은 '네가 정말 해보고 싶은 걸 해. 인생은 한 번이고 넌 소중하니까. 네가 가진 다양한 색을 발견하는 시간을 가져봐.' 라고 말해주는 사람이 있어야 한다. 나는 그때 팀장님의 말을 소중하게 간직하고 사는 사람이 되었다. 생각해 보면 어느 회사에 가든 꼭 그 안에 한 명씩은 좋은 사람을 만났던 것 같다. 밥벌이는 지겨웠어도 인복은 타고났나 보다.

언젠간 내게도 찾아올 잉여들의 히치하이킹

젊은 영화를 보고 싶었다. 젊다기보다는 살아 있는 영화를 보고 싶었다. 그렇게 〈잉여들의 히치하이킹〉을 만났다. '잉여'라고 칭하는 20대의 치기 어림이 오히려 자존감 가득한 청춘으로 비쳤다. 무작정 떠날 수 있는 무모함, 패기로운 영혼의 꿈틀거림. 그때가 아니면 365일을 여행하는 게 가능한 때가 있을까. 현실적인 영화라고 생각하며 보기 시작했지만 영화가 끝나는 순간, 이런 비현실이 또 있을까 싶게 마흔 중반의 가슴을 방망이질했다.

포기하지 않는 의지만 있다면 반드시 기적은 일어난다. 영화 속에선 영상을 전공한 청춘들이 달랑 80만 원을 들고 의기양양 비행기를 탄다. 유럽 각지의 호스텔 홍보영상을 만들어주고 숙식을 해결할 꿈을 가지고 파리에 도착한다. 그러나 꿈이란 게 어디 그리 쉽게 만날 수가 있는 존재던가. 어깨에 한가득 무거운 짐을 짊어진 청춘 중 한국으로 돌아가는 이도 생긴다. 그들은 남은 이들보다 조금 더 나이가 있었고, 사회생활도 해봤으며 현실을 무시할 수 없는 청춘들이었다. 간절한 이들만 남아 걷고 또 걷다 피곤한 몸을 길 위에 누인다.

끝도 없이 어둠 속을 걷던 이들이 구원의 손길을 하나둘 받기 시작하더니 영국의 런던까지 단 한편의 '홍보영상'으로 '전 유럽 호스텔계의 슈퍼스타'가 된다. 영상을 보는 내가 잉여인간이 된 채, 스스로 빛을 내며 살아가는 젊은 청춘들에게 끌린다. 하면 된다! 끝까지 하면 되는 거였다. 굳었던 심장이 덩실덩실 춤을 춘다.

푸를 청(青), 봄 춘(春)

급기야 그들은 자신이 가장 좋아하던 밴드의 뮤직비디오를 만들어 달라는 제안을 받고 런던으로 향하게 된다. '이스트본' 절벽에서의 마지막 장면은 그야말로 현실 영화를 보려던 나에게 가장 비현실적인 장면을 안겨주었다. 부딪쳐본 순간. 자신들만의 것. 밖으로 꺼내 펼쳐 보이는 사람들. 청춘의 무모한 도전과 열정. 365일 동안 촬영했던 영상들을 편집해 영화로 개봉하기까지 5년이 걸렸다. 포기하지 않는 정신이 있었기에 개봉되었을 테고 개봉 후, 인기도 상당했던 것으로 안다. 청소년을 위한 좋은 영화로 선정되었다는 것은 그들의 도전정신으로 끈질기게 자신의 길을 찾아내 스스로가 빛나길 주저하지 않았다는 점에서 시사하는 바가 있기 때문이다.

다니던 학교도 그만두고 떠난 청춘의 1년 후, 다큐멘터리의 감독을 맡았던 22살의 이호재는 진짜 감독이 되어 CF를 맡기도 했다. 함께 떠났던 그의 친구들도 그전보다는 자신들이 원하는 삶을 살고 있지 않을까? 설사 그렇게 살지 않는들 어떠랴. 젊은 날, 1년의 경험은 평생을 두고 무엇과도 바꿀 수 없는 삶의 최고의 순간이 되었을 것을. 영화를 보는 내내 나도 그들이 되어 떠났던 것 같다. 기적의 순간을 함께 맛보고 돌아와 마치 내가 영화감독이 된 것처럼 물개박수를 보내고 있었다.

영화를 보고 나니 커다란 컴퓨터 본체와 캠코더, 이민 가방을 들고 무작정 떠났던 나의 20대가 떠올랐다. 혼자가 아니라 여럿이었다면 더 좋았을까? 그들처럼 의지할 사람이 있었다면 나도 영화감독이 되었을까? 파리에 있는 민박집 홈페이지 디자인 작업을 해주며 생활비를 벌던 내 모습이 떠올랐다. 파리의 어학원, 한불 문화 협회, 한인이 운영하는 보험회사 홈페이지를 만들어주며 생활비를 벌었던 기억들이 조각보처럼 덧입혀져 떠올랐다. 자동차 여행을 하며 경비를 아껴보겠다고 차에서 내내 쪽잠을 자던 나를 찾아냈다. 씻을 곳이 마땅치 않아 휴게소가 나올 때마다 들러 샤워를 하던 내가 거기에 있었다. 비를 피할 수 있는 거처가 있던 나는 그래도 그들보다 훨씬 나았다. 하지만 내가 그들보다 절실하지 않았던 걸까?

그들의 반전은 사실 예고된 모습이었다. 불타는 청춘들의 무모한 도전 앞엔 간절함이 있었다. 신은 그들의 손을 잡아주었다. 20, 30대를 위한 추천 영화가 40대 중반인 내게도 울림을 주었다. 이제는 모든 것을 뒤로하고 365일 배낭을 짊어지고 다니며 아무 곳에서나 잘 수는 없겠지만, 그들이 보여준 끈질김만은 나도 챙길 수 있지 않을까?

남편이 입버릇처럼 하는 얘기가 있다. 아이가 대학생이 되면 함께 배낭여행을 가고 싶다고. 나는 또 그런다. 그땐 내가 열심히 일할 테니 마음껏 세상을 보고 오라고. 두 남자들 오래 여행 보내주려면 부지런히 내 할 일을 찾아야 한다. 그 시간이 꼭 왔으면 한다. 사랑하는 부자에게 떠날 기회를 쥐여주고 싶다. 내가 부딪쳤던 그 시간을 늦게라도 하고 오라고. 아들은 젊어서 좋을 테고, 아빠는 아들과 함께라 더 좋을 테니. 끈질기게 붙들고 있으면 내게도 머지않아 '잉여들의 히치하이킹' 같은 기적이 오리라 믿는다. 나는 그렇게 내 신념을 늘 붙들고 믿으며 살아간다.

생애 처음 드라마 속 여주인공

벗어나려고 탈출을 시도해 봐도 언제나 같은 자리였다. 12월 24일 둘째 동생의 결혼 소식으로 나는 한국에 들어와 있었다. 프랑스에서의 공부를 마치지 않은 상태였다. 똥차가 먼저 가줘야 동생이 좀 더 수월하게 결혼을 했을 텐데 내가 나가 있는 동안 둘째는 고민이 많았다고 했다. 나는 결혼 생각이 없었다. 동생 결혼식이 끝나면 파리로 돌아가 하던 공부를 마저 할 생각이었다. 은빛 가루를 하얗게 쏟아낸 화려한 드레스를 입은 둘째는 누구에게나 사랑받는 천상 현모양처 스타일이었다. 가뜩이나 백옥같이 흰 피부에 뽀얗게 투명한 화장을 덧입히니 영락없는 모란꽃 한 송이 같았다.

크리스마스 이브날 순백의 신부. 옆 홀에선 축구 선수의 결혼식이 있었던 건지 2002년 월드컵으로 급부상한 축구 선수 S를 비롯한 다른 선수들도 함께 있었다. 평소 S선수를 좋아했던 둘째는 제부를 두고 슈퍼스타와 함께 사진을 찍느라 입꼬리가 더욱 올라가 있었다. 결혼식은 많은 사람의 축하 속에서 아름답고 화려하게 치러졌다. 결혼식이 끝나고 둘째는 호주로 신혼여행을 떠났고 나는 한국에 더 머물렀다. 내가 없어 적적했을 막내와 집 근처 곰장어 집을 자주 찾았다.

"언니, 공부 그만하고 돌아오면 안 돼? 언니 없으니까 너무 심심해. 외롭기도 하고. 그리고 엄마, 아빠 돈도 없는데 언니가 아르바이트해도 주기적으로 여기서 돈을 보내야 하잖아. 그게 부담스러우신 거 같더라고. 이런 얘기 안 하려고 했는데, 언니도 알고 있어야 할 것 같아서…"

막냇동생의 말을 들으니 공부를 계속하기 힘들겠단 생각이 들었다. 감당하기 힘든 일이 생기면 도망 다니기 바빴던 내 인생. 무슨 생각으로 살아가는 것인지 통 알 수 없던 날들. 밤낮없는 야근에 주말 출근도 지겨웠고, 결혼 얘기에 팔려가는 인생을 살기는 더더욱 싫었다. 그렇다고 특별히 선이 들어온다든가 그러지도 않았다. 유별난 성격인 줄 모두가 알고 있었기에 선 자리를 주선하는 사람도 없었다. 그 흔한 소개팅 한 번 못했다. 그저 나를 보면 다들 고개를 절레절레 흔들 뿐. 나를 아는 이가 아무도 없는 곳으로 가서 살고 싶었다. 기왕이면 내가 어릴 때부터 꿈꾸던 곳, 라붐의 소피 마르소가 사는 나라 프랑스. 나만 괜찮으면 모든 게 다 괜찮을 줄 알았다.

그때 한국에 들어오지 않았더라면 나는 지금 다른 인생을 살고 있을까? 돌아가서 공부할 자신이 없었다. 그때나 지금이나 여전히 물러터졌다. 독한 구석이라곤 찾아볼 수가 없는 인간. 칼같이 끊어내지 못해 원하는 성과를 얻지 못하며 어정쩡하게 살아왔다. 프랑스로 돌아가 짐을 꾸렸다. 고독한 흔적은 고스란히 파리에 남겨두고, 영화감독의 꿈은 채 버리지 못한 채 한국행 에어프랑스에 올랐다. 며칠 후, 그 꿈은 완전히 접어 쓰레기통에 던져 버렸다.

나는 다시 웹디자이너가 되었다. 바뀐 게 한 가지 있다면 프랑스로 떠나기 전, 주 6일 근무였던 것이 주 5일로 바뀌어 주말엔 그나마 숨을 쉴 수 있었다. 회사에 다니며 쇼핑몰을 구상했다. 처음에는 투잡으로 시작했지만, 회사를 나와 쇼핑몰 기획부터 디자인, 코딩까지 모두 직접 만들고 '젤리 박스'라는 이름을 붙여 세상에 내놓았다. 대기업 영양사로 일하던 막냇동생을 설득해 추가 투자를 받았고 나는 쇼핑몰 운영에만 몰두했다. 수입의류, 잡화 등을 가져와 우리가 직접

입은 사진들을 콘셉트에 맞게 편집해서 올렸다. 평소 좋아하던 곡들을 옷 이름에 붙였다. 영화잡지를 사서 보던 것처럼 음악잡지를 사서 볼 정도로 음악을 좋아하던 시절이 내게도 있었으니, 옷 이름 짓는 일 정도는 식은 죽 먹기였다. 몇백, 몇천 개도 만들 수 있었다. 쇼핑몰 운영은 1년 반. 외국으로도 판로를 넓혀 자리를 잡아가고 있었다. 지나고 나서 생각해 보니 더 운영했다면 그쪽으로 성공했을지도 모르겠다.

나는 싸이월드 '투멤'이었다. '투멤'은 지금의 '인플루언서' 같은 것인데, 당시 쇼핑몰 광고를 해주던 싸이월드의 '베스트 드레서'라는 모임에서 남편을 처음 만났다. 그곳에서 예쁜 사진도 아닌, '우비 소녀' 사진을 보고 그는 내게 일촌 신청을 했다. 사람 보는 눈이 탁월했던 남편의 안목을 높이 산다.

4월의 만개한 벚꽃이 떨어질 무렵, 우리는 처음 만났다. 그는 만나보니 생각했던 것보다 훨씬 더 촌스러웠다. 깔끔하고 스마트한 느낌은 있는데 사진에서 보이던 강단 있고 고집스러운 이미지가 실제론 더 강하게 다가왔다. 아니나 다를까 그는 함께 점심을 먹자며 분식집엘 데리고 갔다. 가진 돈으로 사줄 수 있는 게 분식집 떡볶이와 김밥이라고 했다. 돈을 벌고 있는 내가 계산을 하겠다는 걸, 그는 한사코

거절했다. 없어도 있는 척하거나 겉멋 부리지 않고 자신의 수준에서 스스럼없이 솔직한 모습에 마음이 갔다. 수많은 얘기가 오고 가는 사이 일하러 갈 시간이 되었다. 우리는 함께 지하철에 올랐다. 지하철과 함께 흔들리는 내 어깨를 감싸 안아주던 네 살이나 어린 남자. 차가워진 손을 덥석 잡아 버린 남자. '어린 것이 겁도 없이.'라고 생각하기도 전에 가슴이 먼저 뛰었다. 그렇게 첫 만남에서 나는 생애 처음 드라마 속 여주인공이 되었다.

우리의 연애는 버스만 타도 모든 길이 신나는 여행 같았고, 평소 심하던 멀미도 나지 않았다. 헤어짐이 아쉬워 같은 길을 반복해 오고 갔다. 옷이나 소품을 가지러 동대문에 갔다 돌아오는 길엔 '만남의 광장'에 들렀다. 그렇게 우리는 배가 고픈 줄도 모르고 날이 새도록 차 안에서 수다 꽃을 피우기도 했다. 그런 경험은 처음이었다. 대화가 끊기는 법이 없었다. 함께 있는 시간이 짧게 느껴졌다. 버스 안에서 잡아주던 손. 반짝이는 햇살이 창문을 투과해 우리의 앞날을 비춰주던, 비현실적인 장면들이 곽진언의 〈나랑 갈래〉 노래에 오버랩 된다.

주위에선 서른이 넘었으니 조목조목 따져가며 연애를 하라고 조언했다. '살다 보면 제일 중요한 게 돈이다. 남자 인물도, 똑똑한 것도 하나 필요 없다.'는 소릴 수없이 들었다. 졸업도 하지 않은 연하 대학생과의 연애라고 걱정이 풍년이었다. 변호사를 만나도 모자랄 판에 홀어머니에 1, 2학년 성적은 삶의 고민을 짊어지느라 형편없는 법대생을 만나면 어쩌느냐고 모두 자기 일처럼 나를 걱정해줬다. 나는 그 고단한 사람을 평생 함께하고 싶은 사람으로 선택했다. 집안 형편이 어려우니 졸업하지 않고 다른 일을 찾겠다는 걸 자신의 인생을 위해서라도 정신 차리고 공부하라고 일침을 가해줬다. 정작 나도 학교 다니면서 열심히 공부해 본 적도 없으면서 인생 선배랍시고 졸업은 해야 한다. 돈이 없으니 더 열심히 해서 장학금을 받아라. 나는 변호사, 의사, 공무원 그런 직종들을 좋아하지 않는다. 기다릴 자신이 없으니 나와 결혼할 생각이면 취직이 답이라고 말해 버렸다.

가난한 법대생 뒷바라지로 인생을 바친 수많은 막장 드라마의 여주인공은 되고 싶지 않았다. 내 인생도 소중했으니까. 그때나 지금이나 그는 참 성실하다. 도서관에서 먹고 자며 열심히 공부해 남은 2년 내내 장학금을 받았고 여러 대기업에 입사원서를 내고 면접비를 받은 날에는 우리 아빠에게 술을 사기도 했다. 앞으로의 인생계획을 세워오라던 짓궂은 아빠의 말에 정성스럽게 문서작업을 준비하던 사람. 내게 그랬듯 아빠에게도 메일로 편지를 쓰던 사람과 연애 3년 끝에 양가 부모님을 모시고 상견례를 가졌다. 태어나 효도라고는 해본 적이 없었기에 결혼식은 5월 8일 '어버이날'로 잡고 대단한 효도식을 올리며 우리의 인생 여행은 시작되었다.

안드로메다에서 온 외계인 같은 나를 컨트롤해 가며 혹여나 내 별로 돌아갈까 걱정하면서도 흔들릴 때마다 굳건하게 나를 지탱해 주는 사람. 〈나랑 갈래〉를 듣고 있자니 버스만 타도 여행이던 때, 떡볶이를 먹으며 맛있는 대화를 나누던 그때가 떠올랐다. 유난히 차갑던 내 손을 잡고 함께 가자고 해준 고마운 사람. 아픈 기억들을 묻어두고 빛나는 것들을 다시금 꺼내 볼 수 있게 해준 노래. 곽진언의 〈나랑 갈래〉는 평생 혼자 살 뻔한 나를 구제해 준 그와의 추억을 떠올리게 하는 노래다. 매듭짓지 못한 것들이 많은 인생에서 제대로 매듭지어진 것이 있다면 예쁜 아이를 얻게 된 일이 아닐까. 눈에 넣어도 아프지 않을 우리 예쁜 아이와 그 길을 함께 갈 수 있게 해줘서 고마운 마음으로 이 노래를 듣곤 한다. 세상 그 어떤 시간보다도 지금 내 앞에 존재하는 시간이 좋다. 그런 마음으로 〈나랑 갈래〉가 흘러나오는 오디오의 볼륨을 조금 더 키워 본다.

12PM. 숨 한 캔

“아버님, 이 사람은 밤 12시에 혼자 맥주 마시고 영화 보다가 자요.”
“퇴근하고 피곤할 텐데 왜 잠은 안 자고 혼자 술 마셔. 몸 망가지면 어쩌려고?”
“이거라도 있어야지. 내 생각할 시간이라곤 하나도 없잖아. 이게 내가 쉬는 겁니다.”

3년 연애, 남편의 입사와 동시에 상견례를 마치고 효도하는 마음으로 5월 8일에 결혼했다. 사회 초년생이던 그는 회사에 적응하느라 바빴다. 웹디자이너 경력이 탄탄하게 차오르던 나는 웹에서 휴대폰 화면으로의 변화에 적응해야 했다. 그걸 습득하느라 만원 버스에 시달리며 출근을 했다가 교육을 받고 집으로 돌아오는 지하철에서 내내 헤드뱅잉을 하곤 했다. 집에 도착하면 밤 12시. 다음 날 새벽 출근을 위해 남편은 이미 자고 있었고, 하루의 에너지를 알차게 쏟아내고 온 나는 컴컴한 방안에서 긴 한숨을 쉬었다. 하아~.

씻고 나와 건넛방에 있는 TV를 틀고 시원한 맥주 한 캔 마시는 보람도 없다면 버틸 재간이 없었다. 웹 세상은 끊임없이 변해갔고 살아남으려면 계속해서 공부하며 버텨야 했다. 결혼을 하나 안 하나 혼자 사는 것 같다는 생각이 들었다. 맥주 없이 잘 수 없던 밤들. 그런 나를 그가 걱정해 주었다.

유학 전의 나는 친구들과의 술자리를 참 좋아했다. 많이 마시는 술은 아니었지만, 퇴근하면 직장 동료와 또는 친구들과 매일 만나 수다에 취해 집에 들어오곤 했다. 그러나 결혼을 하고는 일이 끝나면 집에 돌아오기 바빴다. 친구들을 만나는 횟수는 점점 줄었고 예외 없이 친구들을 잃어갔다. 주말에 찾아간 친정에서 그는 내 평소 습관을 얘기했고 친정 아빠는 밤마다 혼자 술을 마시는 나를 걱정스러워했다.

연애 3년 후, 결혼에도 환상을 품었을까? 결혼하면 매일 붙어서 꽁냥꽁냥 얼싸안고 살 줄만 알았다. 서른넷이면 어린 나이도 아니었는데 말이다. 지금 생각해 보면 하루가 참 숨이 찼다. 새벽에 일어나 아침밥을 차려 먹고, 한 시간 반 동안 만원 버스에 시달리다 회사에 도착하면 기획업무에 디자인 작업, 코딩 작업에 때때로 여기저기 지방 출장까지. 대단한 멀티플레이어였던 모양이다. 그러니 내가 이렇게 일찍 노화가 시작된 걸지도 모르겠다. 칼퇴근을 할 수 있었던 건 수업 간다는 구실이 있어야 가능했다. 모두 퇴근하고 모여 앉은 작은 교실에 열 명이나 됐을까? 이미 뇌는 포화 직전인데 다들 또 무언가를 채우러 온 시간. 모두의 눈 밑엔 다크서클이 내려앉아 있었다. 내리 서너 시간을 들어야 예제를 실행해 보고 수업을 끝마칠 수 있었다. 그렇게 몇 달 동안, 결석 한 번 없이 수업을 들으러 다닌 성실한 직원이었다.

그 바쁨의 보상이란 게 돈으로 해결되지 않았다. 밤늦게 혼자 마시는 맥주 한 캔. 내게 보상은 그런 것이었다. 사람은 왜 이렇게 바쁘게 살아가는 걸까? 결혼은 왜 한 걸까? 우리가 살아가는 시간 대부분을 다른 곳에서 보내고 집에 오면 피곤함에 곯아떨어지려고 이렇게 살아가는 걸까? 늦은 밤과 새벽엔 별 좋은 생각들이 일어나지 않았다. 밥벌이의 고단함과 주부로서의 생활에 정신이 지쳐갔다. 사회 초년생이던 그도 예민함이 이만저만 아니었다. 그래도 주말 아침이면 새신부처럼 각종 채소를 잘게 썰어 넣은 계란말이와 된장국, 시금치,

샐러드 같은 신혼 향기 폴폴 나는 음식을 해 먹었다. 함께 앉아 영화를 보고 맥주를 마시기도 했다. 주말엔 서로 얼굴 마주 보고 앉아 밥이라도 먹을 수 있었다.

그때 나의 유일한 즐거움은 매일 밤 마시던 맥주 한 캔과 여행으로 일탈을 꿈꾸는 것뿐이었다. 신혼여행으로는 화산 폭발로 유럽이 난리 통이던 때에 스페인에 다녀왔다. 그리고 다시 삼 개월쯤 지나 우리는 제주도에 갔다. 신혼여행 간다고 열흘짜리 휴가를 쓰고, 또 일탈을 감행했다. 낯선 곳에서 마음이 편해지는 나는 늘 떠나고 싶은 마음을 품은 '역마살' 가득한 사람이었다. 여전히 떠나 있어야 마음이 편한 사람. 요즘도 그렇게 숨이 막히는 날이면 맥주 한 캔을 딴다. 여행은 갈 수 없으니 글을 쓰면서 벌컥벌컥 마시는 수밖에.

여자로 살아오던 삶을 송두리째 바꿔놓은, 17시간 30분

오후 8시 반쯤 됐을까? 생리통처럼 배가 쿡쿡 쑤셔 왔다. 열 달을 채우고도 나올 기미가 보이지 않는 아이를 일주일만 더 기다려보자고 담당 의사 선생님은 말씀하셨다. 앉았다 일어설 때면 오른쪽 골반 근처가 저려와 여러 번 주저앉을 뻔했다. 160cm가 채 안 되는 작은 키에 47kg의 내게 20kg이 얹어졌다. 몸이 이렇게 비대해지리라곤 상상해 본 적이 없었다. 트지 말라고 비싼 크림과 오일을 덕지덕지 바르며 버티던 피부가 38주부터 비 한 방울 머금어 보지 못한 가뭄의 땅처럼 쩍쩍 갈라지기 시작했다. 아이 크는 속도를 맞추자고 먹은 것인지 쉴 새 없이 먹어서 커버린 것인지. 금방이라도 터질 것 같은 부푼 배를 운전대 아래에 밀어 넣는 일이 힘들어질 즈음, 그러니까 출산 보름을 남겨두고 '출산휴가'를 신청했다.

회사 계약 조항엔 있지만 눈치 보느라 누구도 쓸 엄두를 내지 못하던 출산휴가. 나는 배를 당당하게 내밀고 출산휴가를 신청했다. 한 번도 없던 일이라 사장님과 다른 직원들 모두 우왕좌왕이었다. 내가 출산 전 마지막으로 다니던 회사는 농진청이나 농협 일을 주로 맡던 회사였는데, 한 사람 자리 비우는 일에 민감한 편이라 그만둘 각오가 아니면 출산휴가를 쓸 분위기가 아니었다. 결혼해서 아이 갖는 일이 축복받을 일이라고 말은 하지만, 실상은 그렇지 못했다. 눈치 받을 일이 아님에도 출산휴가 얘기를 꺼낼 때는 마음속으로 그만둘 각오를 하고 있었다. 많은 여성이 그렇게 경력단절을 경험하고 있다.

회사 설립 이래 누구도 시도하지 않았던 그걸 내가 최초로 쓰는 영광을 누리게 되었다. 그 어려운 걸 내가 또 해냈다. 물론 출산휴가 중에도 주기적으로 회사에서 오는 연락을 받고 그에 대한 일 처리를 해야 했다. 그 정도는 감사한 마음이었다. 배가 남산만 해지면서 똑바로 누워 자는 일은 상상조차 못 하던 때. 자다가 툭툭 발길질하는 아이를 느낄 때면 놀라 잠에서 깨곤 했다. 막달로 갈수록 배 뭉침의 횟수도 늘어나 땡땡해진 배를 풀어내느라 식은땀을 흘리기도 했다.

완연한 봄은 내게 여름으로 다가왔다. 아이를 품고 있었기에 늘 덥고 목이 말랐다. 하루에 수박 반 통씩을 먹었더니 살이 찌고 아이가 커지는 건 당연했다. 열 달 하고 일주일째 되는 날 저녁, 쿡쿡 쑤시던 배는 밤 12시가 넘어가니 그 횟수도 증가하고 강도도 세졌다. 병원 가는 일은 그전부터 준비했던 터라 혹시라도 양수가 터지거나 진통이 너무 심하면 바로 나갈 수 있게 채비를 해두었다. 잠을 자기는 했을까. 이른 아침 서둘러 병원에 갔다. 41주 차, 오전 8시에 간호사는 자궁이 3cm가 열렸으니 아이가 곧 나올 거라고 했다.

진통은 참을 만했다. 출산 전 산모에겐 굴욕적인 준비단계가 있다. 혹시 모를 제왕절개에 대비해 전날 저녁부터 굶은 상황. 그래도 뱃속에 뭔가 남아 있으면 안 되니 관장약을 먹고 화장실을 오가며 모든 걸 비워냈다. 기운이라곤 하나도 없고 그저 정신만 붙어 있는 상태. 여자들이 가장 굴욕이라 일컫는 제모의 시간과 내진을 감내했다. 진통이 심했다면 차라리 나았을까? 급박한 상황은 아니었기에 그 시간들을 온전히 느꼈다. 그런데 복병은 내진에 있었다. 출산을 글로 읽고 친구의 경험담을 통해 어느 정도는 마음을 굳게 먹고 간 날이었다. 어찌 된 일인지 자궁문이 더는 열리지 않았다. 배가 쿡쿡 쑤시던 중, 병원 측에서 진통이 제대로 시작되기 전에 무통주사를 맞아야 효과가 있다고 했다. 그때까지 가진통이 심한 편은 아니었는데 무통 주사는 진통이 심하게 오기 전에 맞는 게 좋다고 해서 척추 어디쯤 주사를 맞았다. 맞는 순간 찌릿하게 전기가 통하는 느낌이었다. 그리곤 배가 아픈지 어떤지 알 길 없는 시간을 분만실에 누워서 보냈다.

오전 8시쯤 들어가서 오후가 되도록 별다른 소식이 없자 간호사가 수시로 들어와 내진하고 조금 더 있어야 하니 힘주기 연습을 하라는 거다. 전날 밤부터 쫄쫄 굶고 관장까지 했는데 낼 힘이 어디에 있나. 주기적으로 진통은 오는 데 도통 힘이 들어가지 않았다. 오후 6시가 되어가도록 수시로 힘주라고 당부를 하고 나갔던 간호사는 내 오른쪽 무릎을 잡고 있던 남편과 왼쪽 무릎을 잡고 있던 둘째 동생을 내보냈다.

올 게 왔구나. 170cm가 족히 넘어 보이는 덩치 큰 간호사 한 명과 담당 선생님이 나타났다. 힘을 줄 수가 없는데 힘을 주란다. 요가 다니며 그렇게도 호흡 연습을 했는데, 병원에서도 라마즈 호흡법을 그렇게나 연습했는데 그게 다 무슨 소용이람. 숨이 쉬어지지 않았다. 간호사가 맥박 체크를 하더니 산소호흡기를 씌웠다.

"어머니 숨 크게 쉬어보세요. 아이 금방 나올 거예요. 크게 호흡하셔야 해요. 조금만 더 힘내세요. 시작할게요."

뭘 시작하겠다는 건지 알지 못했다. 거구의 간호사 역할이 명확해

질 즈음 호흡이 가빠졌다. 목구멍에 오도 가도 못 하는 무언가가 걸렸는데 그걸 억지로 꺼내보겠다고 힘쓸 때처럼 숨이 막혔다. 엉덩이를 내 쪽으로 들이밀고 치약 짜듯 배를 쭉쭉 짜내던 간호사. 반대편에선 담당 선생님이 '뚫어뻥' 같은 걸로 아이의 머리를 뽑아내고 있었다. 내장이 터질 것 같은 고통, 숨쉬기도 힘들고 정신이 혼미해질 즈음 아이가 태어났다. 내가 사람인가 싶던 순간을 지나고 나니 아이가 울기 시작했다. 나는 탈진 상태였고 남편이 들어와 울면서 탯줄을 끊고 나갔다. 그러는 사이 간호사와 담당 선생님이 얘길 주고받았다.

"산모가 탈진 상태에요. 탯줄을 끊었으니 다음 진행하시죠."
"기다려봐. 그래도 고생해서 낳았는데 엄마 옆에 아이 한 번 안겨봐야지. 자~ 김상래 산모님 아이 보여요? 잘 출산했어요. 아이가 아주 건강하고 튼튼하게 나왔어요. 눈 떠 봐요."

무슨 일이 벌어진 건지 세상은 온통 묵음이었다. 왜 영화에서 보면 가장 슬픈 장면은 꼭 사운드가 없지 않나. 시뻘건 상태의 아이는 머리가 벌써 거뭇했다. 자기도 나오느라 힘이 들었는지 세상을 향해 힘껏 울어 젖히고 있었다.

"산모가 탈진 상태니 후 조치하고 바로 산모실로 옮겨줘요."

"산모님, 너무 고생하셨어요. 힘들게 출산한 만큼 아이 건강하게 잘 클 거예요. 왕자님이 벌써 든든해 보입니다. 축하드려요."

출산 직후 인증샷을 보내주던 친구들의 사진은 남 일이었다. 두 시간 만에 아이를 낳는다는 것도 순전히 거짓이었다. 산모실로 옮겨진 나의 상태는 권투경기 마지막 라운드를 마친 선수의 얼굴이 되어 있었다. 누가 목을 조른 것도 아닌데 얼굴은 온통 붓고 눈에 실핏줄이 다 터져 거울을 들여다보고 있는 내가 다른 사람을 마주하고 있는 기분이었다. 거울 속의 그 사람은 끔찍하리만치 온몸이 아팠다. 치약 짜내듯 한 뱃가죽은 온통 보랏빛 멍 투성이었다.

그야말로 진정한 만신창이가 된 출산 동영상이 우리 집 빨간 서랍장 맨 아래에 들어있다. 누구도 꺼내보지 않는 판도라의 상자다. 남들만 쉬운 출산, 나는 그날 애 낳다가 죽는 줄 알았다. 제발 목숨만 살려달라고 담배 냄새 가득하던 담당 선생님의 손을 붙잡고 애원했던 기억이 난다. 모진 출산을 겪고 회복되는데도 수개월이 걸렸다. 멍든 배는 삼 개월이 지나도록 보랏빛이 지워지지 않았다. 모유 수유를 위한 식사도 제대로 하지 못 하고 아픈 몸을 부여잡고 그 시간을 보냈다. 누워서 실컷 자고 싶고 혼자 맘 편히 쉬고 싶은 마음이 간절했다. 나는 더 이상 여자가 아니었고, 사람도 아닌 채로 그때를 지나왔다.

한편, 엄마가 힘들게 출산한 걸 아는지 아이는 신통방통하게도 아기 때부터 순했다. 배부르게 모유를 먹으면 곤하게 잠이 들었고, 좀 더 커서는 아기 체육관을 틀어주면 발로 툭툭 치면서 놀다가 고개를 좌우로 몇 번 흔들고는 두 시간씩 잠을 잤다. 그 아이가 벌써 커서 열한 살. 혹독한 출산기를 거쳐서일까? 내 고통의 산물이 매일 같이 눈앞에서 반짝거리는 것을 보고 있으면 보고 있어도 또 보고 싶어진다.

여자로 살아오던 삶을 송두리째 바꿔놓은 아이의 탄생. 참 소중하고 더 애틋하고 예쁘다. 누구와도 비교할 수 없는 자신만의 색을 가지고 태어난 아이와 함께 공부하고 성장하는 지금이 아프지 않고 즐겁고 행복하다. 진통 17시간 40분, 41주 만에 3.66kg의 떡두꺼비를 출산하고 나니 그 말의 의미를 제대로 알 것 같다. '눈에 넣어도 아프지 않을 내 새끼.'

시간이 조금만 천천히 흘러가 주면 얼마나 좋을까

나도 언젠간 늙겠지. 막연히 미래를 추측하던 날이 있었다. 노화는 생각보다 빨랐다. 스물아홉 흰머리가 듬성듬성 생기더니 마흔다섯이 되면서 보름 단위로 염색을 해줘야 했다. 처음엔 염색하는 일을 당연하게 생각했는데, 휴대폰을 멀찌감치 두고 보게 되면서 아차! 내게 노안이 시작되었구나 싶어 특별한 일이 아니면 염색을 참았다. 마흔다섯이 되기도 전에 노안이라니. 염색약이 눈에 영향을 준다는 얘기는 또 어디선가 본 기억이 났다. 그 옛날 내가 생각하던 돋보기 안경은 꼬부랑 할머니가 돼서야 쓰게 되는 줄만 알았다. 어찌 되었든 친구 중 노안은 내가 첫 번째였다. 흰머리가 나기 시작한 것도 처음이었던 것처럼.

노안 검증을 위해 찾아간 안경점에서 가족 모두 시력 검사를 받았다. 가림 치료를 했던 아이의 왼쪽 시력은 두 단계나 떨어져 렌즈를 바꿔야 했다. 성장하며 안구가 커지니 시력이 떨어지는 것쯤은 흔히 있는 일이라며 난시 관리만 당부받았다. 남편은 결혼 전엔 고시생답게 제 눈의 형체를 알아볼 수 없는 두꺼운 안경을 착용하고 있었다. 결혼 후 강남 유명 안과에서 라식 시술을 받고 난 뒤로는 숨겨져 있던 인물이 살아났다. 간혹 건조하거나 뿌옇게 보이는 현상 때문에 그도 함께 검사했지만, 안경을 쓰지 않아도 좋을 만큼의 시력을 검증받았다.

나는 노안이 맞았다. 언젠가 방송에서 차인표가 돋보기안경을 착용한 채, 할아버지처럼 멀찌감치 글 읽는 모습을 보았다. 그 옛날 오토바이를 타고 울룩불룩한 근육을 바람에 맞짱 뜨던 차인표도 세월 앞에 별수 없었다. 나라고 특별할 건 없었다.

"요새는 노안이 더 빨리도 와요. 특별하게 생각하지 않으셔도 돼요."

"책을 멀리 두어야 글씨가 잘 보이더라고요. 이상하다 생각했는데 그땐 설마 했거든요."

"빠른 것도 아니에요. 요새는 마흔 전에도 노안으로 렌즈 맞추러 오는 사람도 있어요."

"괜히 그러시는 거 아니에요? 저 속상해할까 봐?"

"아니에요. 하하. 휴대폰 사용하는 사람들이 늘다 보니 노안도 빨라진 것 같은데요."

"아, 휴대폰. 밤에 휴대폰을 봐서 그럴까요?"

"정확한 원인은 사실 모르죠. 요즘 휴대폰 사용량이 많아지니 그게 원인이 아닌가 추측하는 거죠."

"네. 겉으로 봐서도 돋보기처럼 티가 날까요?"

"하하. 요새는 그렇게 안 해요. 육안으로 전혀 티 안 나게 잘 나와요. 단지 착용하고 일주일간은 적응 기간이 필요해요. 잘 보이는 포인트가 따로 있으니 렌즈 나오면 다시 설명해 드릴게요."

"알겠습니다. 잘 부탁드릴게요."

이것은 사건이라면 큰 사건이었다. 생각해 보면 뭐든 빨랐던 것 같다. 2차 성징도 남들보다 빨랐기에 초등학교 6학년 때 키 그대로 살고 있다. 흰머리가 나기 시작했던 것도, 노안이 찾아온 지금도 그렇다. 이대로라면 폐경기도 생각보다 일찍 찾아올 듯싶고, 갱년기 또한 그럴듯싶은데 어떻게 대처해야 할까? 운동하는 동안 괜찮다가도 하지 않은 날은 몸이 아프니 집중할 곳이 없었다면 종일 짜증 섞인 모습으로 남은 인생을 맞이했을지도 모를 일이다. 또 한 번 글 쓰는 일을, '펜을 잡은 건 신의 한 수였어.'라며 혼자 앉아 내 머리를 쓰담 쓰담 해본다.

그렇다면 다른 노후 징후들도 앞당겨 나타날 텐데 인생을 미리 살아야 하는 걸까? 느릿느릿 달팽이 걸음으로 살아가는 지금. 세월의 흐름 속에 주변 것들이 낡아가듯 나 또한 인생의 한가운데서 특별하지 않게 시간을 맞이해야 한다는 사실을 인정한다. 다만, 조금만 더 천천히 노화가 진행되면 좋겠다. 아이를 등교시키고 돌아 나오는 길에 50분을 걸었다. 걷는 내내 전날 밤, 아이의 말이 떠올라 눈시울이 붉어졌다.

"엄마가 더 젊었으면 좋겠어. 둘째 이모나 막내 이모처럼."

"엄마가 너무 나이 들어 보여?"

"아니. 그게 아니라 엄마랑 더 오래 같이 있고 싶은데 엄마가 빨리 죽을까 봐."

"엄마 열심히 운동해서 우리 아들이랑 오래오래 행복하게 살 건데?"

"나는 엄마랑 같이 있는 게 좋아. 근데 엄마가 오래오래 같이 있지 못할까 봐 걱정돼."

"걱정하지 마! 엄마 아직 쌩쌩해. 나이가 들면 누구나 삐걱거리는

데가 있기 마련인데 엄마 정도면 어디 나가면 훨씬 젊게 보잖아. 걱정하지 마!"

초등학교 4학년. 여전히 엄마의 어디라도 맞대고 있어야 하는 아이. 시도 때도 없이 뽀뽀하고 안고 사랑한다고 말하는 아이. 그런 아이와 오래도록 행복하게 살아가려면 건강이 필수다. 오늘도 아이 없는 시간, 지금 놓치면 다시 기억하지 못할 게 분명해 어떻게든 글쓰기로 붙잡고 있는 시간, 이 모든 기록이 언젠가 아이에게 선물이 되기를 바란다. 엄마는 일찍 노안 렌즈를 꼈지만 아이는 가까이서도 분명하게 볼 수 있었다는 사실을 남기고 싶어서 말이다. 시간이 조금만 천천히 흘러가 주면 얼마나 좋을까.

나의 우주,
우리의 우주

우리 여행하듯 그렇게 살자

우리 여행하듯 살자.

아빠랑 엄마랑 연애 때 그랬거든.

버스만 타도, 기차만 타도, 지하철만 타도 항상 여행 가는 것 같았거든.

엄만 지금 그걸 우리 아들하고 또 하고 있네.

우리 여행하듯 살자.

_2012년 7월 26일의 기록

아이가 두 살이 된 무렵부터 아기 띠로 아이를 안고 지하철을 이용해 대학로, 종로, 강남을 누비며 연극을 보러 다녔다. 사회 초년생으로 바쁜 일과를 보내던 남편이 가족에게 할애할 시간이란 주말뿐이었다. 그나마 주말 하루는 종일 잠을 자야 충전이 되는 사람이었기에 나머지 하루 정도를 아이와 함께했다. 그래서인지 아이와 둘이 사는 것 같다는 생각이 들 때가 많았다. 지금도 별반 다르지 않은 삶을 살고 있다. 이럴 거면 뭐 하러 결혼을 하는 걸까? 결혼한 여자들은 손해가 이만저만한 게 아닌데 잘 못 택한 걸까?

남편의 빈자리가 느껴질 때마다 연애 때를 떠올렸다. 시간이 충분하다면 분명 많은 대화를 막힘없이 나눌 수 있고 적은 돈으로도 행복을 느끼고, 버스만 타도 여행이던 그때처럼 될 수 있을 거라고 말이다. '살아가는 일이 바빠 시간이 없을 뿐이다. 가족이 생겼으니 바쁘게 달려야 할 시기일 뿐이다.' 그도 우리와 한마음을 품고 그저 고단한 밥벌이를 할 수밖에 없는 처지라고 생각했다.

많은 역할을 혼자 감내해야 했다. 그때 내 탈출구 중 하나가 아이와 연극을 보러 다니거나 전시회에 가는 일이었다. 어디든 밖으로 나가 새로운 자극을 받길 원했다. 아이가 너무 어린데 무슨 연극이냐 할 수도 있지만, 두 살부터 시작된 연극 나들이가 지금의 아이에게 감성과 귀를 열어 준 계기가 된 것 아닌가 싶다. 큰돈을 들여 아이를 학습기관에 보내거나 비싼 교구를 사준 적이 없다. 그럴 형편도 아니었고 그럴 필요성도 느끼지 못했다. 그럼에도 불구하고 지금의 아이를 보면 예술에 대한 적잖은 자극을 받았다고 느껴질 때가 있다. 묵직한 아이를 안고 매일 같이 여기저기 다니는 나를 보고 사람들은 대단하다고, 힘들지 않느냐고 묻곤 했다. 그런 와중에도 밤이면 일을 했고 공부를 병행하던 적도 있었다.

산후 우울증. 나는 그런 경험이 내 것이 되는 게 싫었다. 인간인 나는 나약하지만 주어진 시간을 행복한 방향으로 쓰고 싶었다. 스스로 한계를 극복한 방법 중 하나는 일을 병행하는 것이었고, 두 번째는 공부를 하는 것, 세 번째가 아이를 안고서라도 새로운 자극을 받으려고 집 밖을 돌아다니던 일이었다. 몸이 힘든 일은 감내할 수 있었다. 그것보단 정신을 갉아먹는 어둠이 몰려오면 그걸 감당해 내는 일이 나는 더 힘들었다. 작은 일에도 서럽게 눈물이 나는 내가 싫었다. 우울증이라는 것이 내게 찾아올 겨를이 없게 만들었다.

두 살배기를 안고 공연을 보러 다닌다고 아이가 그걸 기억하리라곤 생각하지 않았다. 당연한 거고, 지극히 나를 위한 일이라고 생각했다. 엄마가 행복해야 아이도 행복할 테니 말이다. 나는 예술적 자극을 받아야 마음이 충족되는 사람이다. 주기적으로 콧바람이 들어가야 살아갈 힘이 나는 사람이다. 아이가 좀 더 컸을 때는 휴대용 유모차를 챙겨 다녔다. 대중교통을 이용해 아이와 함께 다니는 일은 보통 체력 소모가 큰일이 아니었다. 그럼에도 불구하고 그때의 기록을 들춰보면 나는 참 행복한 표정이었고, 즐거웠다고 기록되어 있다. 남편의 빈자리를 아이와 함께 알차게 보낸 시간이었다.

보통 그렇지 않을까? 한집에 살면서 말 섞어보기 힘든 부부. 사랑해서 결혼한 부부의 생활은 공간과 추억이 달리 쌓여도, 우리는 함께 살아가고 있다는 소속감을 각자가 책임감 있게 짊어져야 지속될 수 있다. 시간은 멈추지 않고 흐른다. 각자의 생활 속 역할에 충실하다 보면 함께 할 수 있는 시간이 다시금 찾아올 거다. 따로 또 같이 우린 함께 살아가고 있는 거다. 그럼에도 불구하고 사랑했으니 끝까지 가 보는 거다. 시간이 아주 많은 어른이 되는 길이 늦지 않게 오기를 바랄 뿐이다. 아이는 금방 크고 우리도 금세 늙을 테니까.

너의 행복을 가장 잘 아는 사람은 너 자신인 거야

영화 〈안경〉.

진정한 자아를 찾기 위해 휴대폰 없는 마을로 인생길을 돌린 '타에코 교수'.

아무것도 아니기로 마음먹고 떠난 여행에서 새롭게 만난 사람들.

메르시(Merci: 프랑스어로 '감사') 체조.

오랜 시간 정성 들여 만든 팥빙수.

돈으로는 살 수 없는 독특한 계산법의 빙수 가게.

읽지도 않을 책은 여행길에 짐만 되고.

가장 정확한 지도는 왠지 불안해지는 지점에서 2분 정도 더 참고 가면 거기서 오른쪽.

나는 대사가 별로 없거나 카메라 움직임이 정적인 영화를 즐겨 보는 편이다. 자우림의 김윤아를 닮은 '고바야시 사토미'의 매력과 '모타이 마사코'의 독특하게 매력 깊은 캐릭터를 따라가면 〈카모메 식당〉, 〈수영장〉, 〈도쿄 오아시스〉를 차례로 만날 수 있다. '오기가미 나오코' 감독은 평범하고 소소한 일상에 깨알 같은 유머와 심리치유적 효과를 주는 영화를 주로 만든다.

최초의 오키나와 여행은 날이 추워질 때면 여행에 불쏘시개 역할을 해주는 영화 〈안경〉으로 시작됐다. 내용 못지않게 엔딩 곡마저 슴슴한, 내 취향을 그대로 닮은 영화 덕분에 세 번이나 그곳을 찾았다. 잘 정비되지 않은 '나하 공항'의 첫 느낌은 시골 동네에 마실 온 느낌이었다. 아이가 만으로 두 살, 한국 나이로 세 살이던 겨울의 끝자락, 봄이 꽃을 피우기 전의 일이다. 가까운 거리 대비 항공료가 꽤 비쌌던 그때, 비행거리가 2시간으로 짧았고 한국인에게도 비교적 많이 알려지지 않아 선택한 우리만의 비밀기지 같은 곳. 동양이면서 이국적 정취를 품은 곳. 눈부신 바다를 가진 따뜻한 남쪽 섬. 괌이나 사이판을 찾는 사람이 많던 시절, 넘치는 활기참이 부담스러운 우리에게 그곳은 작은 것에 집중하게 만드는 시간을 선물하는, 우리와 무척 닮은 여행지였다.

자색 고구마 파이. 우리나라의 해태와 비슷하고 마블리 마동석이 생각나는 유쾌하게 생긴 시사. 그중 입을 크게 한 시사는 복을 받아들이는 역할을 하고, 입을 다문 시사는 액운을 막아 들어온 복을 지킨다고 한다. 다니는 곳마다 시사의 느낌이 달라 여지없이 기념품으로는 각기 다른 시사를 샀다. 오키나와는 '류큐 왕국'의 전통이 남아 있다. 식탐이 별로 없는 우리 가족에겐 이곳 음식이 참 단순하고 소박해서 좋았다. 푸짐한 숙주와 삶은 돼지고기가 얹어진 특별할 것 없는 소바 한 그릇. 영화를 곱씹듯 낡은 식당 한쪽에서 음미하는 미니멀한 맛이란…. 그렇게 소바 한 그릇을 먹고 나면 날이 잔뜩 흐린 날, 해가 쨍한 날 상관없이 산책을 했다. 그럴 때면 난 재래시장에서 산 알록달록 염색되어 나풀거리는 시원한 휴양지 셔츠를 입고, 발에 맞는 사이즈가 없어 헐거덕 거리면서도 꼭 '쪼리'만은 현지에서 장만해 신고 다녔다. 이건 일종의 내 자유성의 상징이자 작은 사치였다.

'비세마을 후쿠기 가로수길'은 특별한 목적 없이 어슬렁거리는 사람에게 숲 속의 비밀 문 뒤 세상을 보여줬다. 마치 나니아 연대기의 옷장 문을 연 것처럼. 드넓은 에메랄드빛 바다를 보물로 숨겨둔 산책길은 어른 흉내를 내려고 엄마 신발을 몰래 신고 나온 아이의 발처럼 넉넉했다.

"너의 행복을 가장 잘 아는 사람은 너 자신인 거야."

제인 오스틴이 말하던 행복이란 이런 게 아닐까. 아날로그적 감성을 한껏 품은 '슬로 라이프'의 섬. 북적일 일이 없던 오키나와. 별생각 없이 어슬렁거려도 괜찮은 곳. 특히, 우리나라와 비슷한 역사가 있는 곳이라 동병상련이 작용했다. 제2차 세계대전 당시 일본 유일 지상전이 있었던 곳. 3개월에 걸친 전투 끝에 원주민 9만 4천여 명이 사망했고, 27년간 미군에 의해 군정 통치를 받기도 했던 곳. '아메리칸 빌리지'에 가면 그 흔적들이 남아있다. 이곳에선 밤거리의 불쇼를 보고 대관람차를 타보기도 했는데, 고소공포증이 있던 나는 밤의 '아메리칸 빌리지'를 높은 곳에서 창밖으로 내려다보는 일이 그렇게 유쾌하진 않았다. 고개를 다리 사이에 묻고 대관람차가 땅으로 가까워지길 바라면서 들었던 남편의 웃음소리란. 세 번의 여행 중 대관람차를 탄 건 그때뿐이었다. 그는 이따금 아이에게 그때의 나를 이렇게 설명한다.

"유한아, 엄마가 대관람차 탔을 때 고개도 못 들고 얼마나 무서워한 줄 알아? 그때 생각하면 아직도 웃겨 죽겠어. 그 사진이 어디에 있더라."
"그만 좀 하지?"

그때는 프리랜서 웹디자이너로 프로젝트 한 달 수입이 직장 생활

했을 때의 두 배였다. 여럿 겹쳐 있던 때는 '월천 도사' 부럽지 않았다. 돈을 아무리 모아봐야 내 집을 마련하는 건 그저 남의 일처럼 느껴지던 시절, 신혼집으로 투룸 오피스텔에 전세를 살고 있을 때인데도 돈을 버는 족족 여행을 다녔을 정도로 여행에 미쳐 있었다. 여행은 용기라고 했던가.

젊을 때 남는 건 여행이라는 생각을 하게 된 건 부모님의 영향이 컸다. 빚지고 사는 일이 세상 날벼락 맞을 일쯤으로 여기며 사시던 부모님 덕에 성인이 되는 동안 우리 집엔 그 흔한 자가용이 없었다. 내가 면허를 따며 우리 집에 첫차가 생겼으니 말 다했다. 그런데도 우리 가족은 울퉁불퉁한 도로 따윈 아랑곳없이 버스를 타고 여행을 자주 다녔다. 그땐 차만 타면 멀미가 심해 여행이란 게 도무지 귀찮기만 했던 시절이었다. 지나고 보니 그 시간을 우리 세 자매가 그대로 물려받은 것 같다. 사람들은 이런 걸 일컬어 '역마살'이라 부르곤 한다.

세 자매를 할머니께 맡기고 부모님 두 분이 여행을 다니셨던 얘기를 나는 전혀 알지 못했다. 때때로 방학을 맞아 막내 고모네 가는 일 말고는 우리 곁엔 늘 부모님이 계셨다고 생각했다. 삼겹살을 구우며 술 한잔 같이할 수 있는 때가 되어서야 아빠가 그런 얘길 하셨다. 생각해 보면 일에 치이고 자식에 치여 두 분만 오붓하게 시간을 즐길 여유가 그때 아니면 언제였을까 싶다. 결혼해서 아이 낳고 살아보니, 그 힘든 시절을 참 슬기롭게 사신 부모님이 존경스럽다. 얼마 전, 부모님은 '홍도' 여행을 다녀오셨고 나는 캠핑에서 돌아온 지 며칠이나 됐다고 또 여행이 그립다.

봄이 오기 전에 한 번, 날이 추워지고 두 번 더 찾았던 곳.
거실로 들어오는 빛이 따사로워 역시나 떠나고 싶어지는 계절.
갈 수 없어 다시 〈안경〉을 틀었다. 갈 수 없어 보고 있는데 더 가고 싶어졌다. 망했다.

아이와의 교감, 책을 솎아주는 일

주기적으로 아이의 책을 솎아준다. 아이가 즐겨보던 책, 이미 다 읽어서 거꾸로 놓은 책들을 반대편 아래쪽에 내려놓는 작업과, 아직 읽지 못했지만 읽으면 좋을 만한 책들을 손이 잘 가는 곳에 꽂아두는 일을 두고 나는 '책을 솎아 준다.'라고 한다. 그런 일은 보통 아이가 등교하고 없는 시간, 빨래를 돌리며 한다. 집에 돌아온 아이가 새 책을 발견한 것처럼 신이 나서 책장을 펼쳐보는 그 모습이 마냥 좋아 꾸준히 하고 있다.

벚꽃도 부지런히 제 할 일을 하는 봄. 나도 내 할 일을 한다. 우리 집에서 가장 값이 나가는 건 책장과 앉아서 책을 읽을 수 있는 커다란 테이블이다. 책장에 꽂혀 있는 책들 대부분은 아는 사람에게 얻어 온 것, 또는 저렴하게 구매한 중고 책들이다. 오래도록 쓰자고 책장만은 욕심을 내서 고무나무로 들였다.

커튼을 활짝 열어젖히고 나면 책들이 제각기 빛을 내뿜는다. 한 번도 읽지 않은 책들을 소환하는 중이다. 당장 읽으면 재미있을 만한 책들은 거실 바닥에 무심코 '툭툭' 내려놓는다. 오다가다 궁금해지면 집어 읽게 마련이라 아이 어릴 때부터 내가 쓰는 비법이라면 비법이다. 어떤 날은 책을 주욱 바닥에 깔고 앉아 그 위에서 책을 읽기도 한다. 두꺼운 양장본의 매력을 일찍 알아버린 아이가 무거운 가방 속에 그 멋을 담아 학교로 간다. 어깨에 얹은 짐보다 마음에 안은 안정이 더 큰 모양이다. 아르코의 〈star〉를 틀어 놓고 잠시 글을 쓰다가 다시 책장을 바라본다. 초등 저학년용은 모두 꺼내 박스에 담는다. 막냇동생네로 보낼 책들이 제법 많이 보인다.

책을 정리하며 아이의 성장을 느낀다. 조금만 천천히 자라주길 바라건만 내게 흐르는 시간만큼 아이가 커가는 시간도 '훅' 하고 지나가 버린다. 뭐가 이리 아쉬운 걸까? 눈을 뜨면 여전히 엄마를 찾는 아이. 5분 정도를 그렇게 안아주고 입을 맞추는데 아이도 나도 그저 시간이 흐르는 게 억울하기만 하다. 아이가 오기까지 두어 시간이 남았다. 우리 집에 이런 책이 있었나 싶게 만들기 위해 나와 눈이 마주친 책을 꺼내 늘어놓는다.

주기적으로 책을 솎아주는 일은 아이와 내가 교감하는 일이다. 무거운 책을 들었다 놨다 하는 일이 즐거운 이유도 거기에 있다. 아이를 잘 키우는 방법에 대해 수없이 많은 책을 읽었던 것 같다. 무슨 무슨 공부법에 관한 책들도 허투루 넘긴 적이 없었다. 그런 책을 읽고 나면 책장을 덮으면서 머리가 복잡해지곤 했다. 왜 이렇게 아이를 피곤하게 키워야 하는 걸까? 지켜야 하는 것들이 왜 이리 많고 요새 아이들은 배워둬야 할 게 뭐가 그리 많은 걸까? 애쓰지 않으면서 살 수는 없는 걸까? 편하게 살면 안 되는 걸까? 엄마 옆에 다리 붙이고 누워 책이라도 실컷 보며 시간을 보낼 수는 없는 걸까?

아이가 어떤 길을 가게 될는지 나는 알지 못한다. 마흔다섯이 되어도 내 길에 대한 답조차 알 수 없으니 어쩌면 당연한 거 아닌가. 어떤 길을 가든 그 길과 하나가 되길 바란다. 스스로 원해서 걷는 길이라면 더 바랄 게 없을 것이다. 원해서 걷던 길이 제 길이 아닌 것 같을 땐 당당하게 다른 길을 찾으면 된다. 그렇게 어렵지 않게 덥석덥석 어떤 길이든 찾아가길 바란다면 이 또한 욕심일 것이다. 이럴 땐 커피 한 잔 마시고 책 정리나 마저 하는 게 최선의 방법이다. 잘 클 거라고 그저 믿는 수밖에 없다는 걸 잘 알고 있다. 책을 솎아주며 오락가락 흔들거리는 내 마음을 진정시켜주는 음악을 반복 재생으로 틀어둔다. 아르코의 〈Perfect World〉.

살아 있는 기쁨과 살아가는 기쁨

'La Joie de Vivre'(일상의 기쁨).

모네를 읽다가 세잔으로 흘러들어 어느덧 에밀 졸라에게 가닿은, 그의 소설 제목이기도 한 이 문구를 나는 참 좋아한다. 2002년의 삶은 프랑스 '낭시' rue Emille Zola(에밀 졸라 길) 4층에서 시작되었던 것도 어쩌면 필연이었을까?

숨 쉬고 있는 날들에 대한 예의는 최선을 다해 사는 것.

살아 있음에, 숨 쉼에 감사하고, 열정 없이 하루를 보내지 말 것.

나는 항상 현재 진행형.

_12.8.4일의 기록

감기가 오면 꼭 장염도 함께 달던 아이가 이틀간 설사를 하고, 몸에 있던 나쁜 가스들을 배출해 내느라 애를 먹었다. 요즘같이 환경이 나빠지는 상황에서 먹거리는 엄마들의 필수 걱정거리 중 하나가 아닌가 싶다. 배달 음식을 몇 번 시켜 먹거나 군것질이 심한 날이면 장이 알아서 바로 반응했다. 나쁜 음식들을 그만 먹으라는 강력한 시그널을 제때 알아들어야 호되게 당하는 것을 조금은 막을 수 있다. 아이가 괜찮아지니 가라앉아 있던 내 마음도 다시 숨을 쉰다.

여러 번의 전쟁을 겪으며 사물을 갈기갈기 파괴하며 재조합하던 '피카소'와는 달리 '마티스'의 그림엔 살아 있음에 감사함이 전해진다. 19세기 색채 화가 '앙리 마티스'는 어린 시절 조용하고 몸이 약한 아이였다. 스무 살 무렵 병명도 모른 채 쓰러져 일어나지 못하다가 엄마가 선물한 물감 상자를 받고 그림을 그리기 시작하며 살아났다. 죽고 싶은 마음이 들지언정 살아 있는 기쁨을 그림에 담고 싶어 했다. 물감 상자를 받아 든 그 순간의 기쁨과 설렘을 마티스는 평생에 걸쳐 화려한 색채로 표현했다. La Joie de Vivre(일상의 기쁨).

"내 손에 물감 상자를 받아 든 바로 그 순간, 나는 천국을 발견했다."

_ 앙리 마티스

마티스의 그림엔 맑고 활기찬 기운이 전해진다. 가족 관람객들이 전시장을 많이 찾고 마티스의 작품으로 미술교육이 지속적으로 이루어지는 것도 이러한 이유가 있으리라 본다. 살아 있는 기쁨과 살아가는 기쁨의 본질적 차이는 우선 살아 있어야 살아가는 기쁨도 맛볼 수 있는 것 아닐까? 혹여라도 마티스의 어린 시절처럼 과도한 스트레스가 아이를 평생에 걸쳐 아프게 하지는 않을까? 살아 있는 것만으로도 우리에게 기쁨인 아이가 살아가는 기쁨을 행여나 놓게 될까 세심하게 살핀다. 그날 있었던 일을 이야기하고, 먹고 싶은 것을 함께 만들고, 손잡고 도서관을 다니며 좋아하는 책을 빌려 와 서로에게 이 부분은 꼭 읽어보라고 권하는 일. 산을 오르며 땀 흘려보고, 산꼭대기에서 함께 바람을 맞는 일, 귀찮을 수도 있는 캠핑 장비를 싣고 다니며 추억을 만드는 일, 그 모든 일은 살아가는 기쁨을 함께 누리고자 함이다. 살아 있는 것만으로도 감사한 일이기에.

"뜨거운 태양은 빛나며, 내 침실의 창문은 활짝 열려져 있다. 그리고 나의 영혼도 함께 열렸다."

_ ***안톤 파블로비치 체호프****(의사이자 소설가였던 러시아의 문호)*

니스에서 안톤 파블로비치 체호프가 남긴 말처럼 내게 뜨거운 태양이 되어준 아이가 살아 있음에 감사하고 함께 살아감에 감사할 것이다. 그리고 많은 이가 아이와 그렇게 살아가기를 바랄 것이고, 손잡이가 없는 칼날로 아이들의 등을 떠밀어 아프게 하지 않기를 바랄 것이다. 내가 세상에 단 하나의 유일무이한 존재인 것처럼 아이 또한, 세상 어디에도 없는 고유한 존재일 테니까. 아이들은 모두 태양처럼 빛으로 살아야 한다. 아이가 아프지 않고 평범한 날엔 그저 감사하는 마음을 가져야 한다.

꼼꼼치 못한 엄마 덕에 행복한 아이

몇 해 전 봄날. 아파트 임시 입대의를 하며 친해진 옆 동 친구 H와 제주도 여행 계획을 짰다. 나보다 한참이나 어린 H는 초등학교 선생님으로, 일찍 결혼해 10년이 넘는 기간 동안 아이가 생기지 않아 딩크족으로 평생 여행하면서 남편과 둘이 오붓하게 살 거라고 했다. 하지만 해를 거듭할수록 아이를 갖고 싶어 했고 그러기 위해선 몸에 있는 여러 가지 문제들을 해결해야 했다. 그녀의 간절한 마음이 하늘에 닿았던 것인지 소원하던 아이를 얻었다. 그렇게 소중하게 얻은 딸 아이가 벌써 네 살이 되었다.

아이가 없던 당시의 H는 나의 아이를 아주 예뻐했고, 제주도는 눈 감고도 갈 수 있다고 했다. 그녀는 황금 같은 휴가를 우리의 가이드 역할로 알뜰하게 사용하고 싶어 했다. H와는 제주 공항에서 만나기로 약속하고 남편이 중국으로 출장 간 다음 날, 우린 공항 리무진을 타고 인천공항에 갔다. 그런데 이게 무슨 일인가! 발권하려고 보니 출발 날짜의 시간과 도착 날짜의 시간이 뒤바뀌어 있었다. 내가 그러면 그렇지. 차곡차곡 쌓아둔 마일리지를 드디어 써보나 했던 일이 꼬여버렸다.

“같은 시간대에 좌석이 아예 없는 건가요?”

“네. 오전 시간대는 자리가 없는데, 잠시만요. 제가 전화를 좀 해 볼게요.”

“……”

“같은 시각에 비즈니스 자리가 남아 있다고 하는데 괜찮으세요?”

“비즈니스요?”

“네. 좌석이 꽉 차서 같은 시간대에 다른 좌석은 없고, 급하게 알아보니 비즈니스석은 타실 수 있을 것 같아요.”

제주도. 한 시간이 조금 넘는 비행거리를 비즈니스석을 타고 가는 일. 단 한 번도 생각해 본 적 없었다. 그러나 차량, 숙소 모두 예약해 둔 상태. H가 제주공항에서 기다리고 있을 텐데 출발을 늦추긴 싫었다. 무엇보다 드넓은 바다를 품은 곳으로 날아가 우리만의 제주를 만

끽하고 싶었다.

“발권해 주세요.”

“네. 그럼 비즈니스석으로 같은 시각 두 분 해드릴게요.”

아이와 대한항공 비즈니스석에 탑승했다. 그때 생각만 하면 아직도 웃음이 난다. 비행기가 이륙하기 전 넓은 좌석에 앉아 다리를 펴던 아이가 비행기가 ‘우웅’하며 커다란 소리를 내자, 내 팔을 잡고 눈을 꼭 감았다. 안전하게 하늘로 오른 비행기 안. 선명한 이목구비에 단정한 승무원이 아이에게 ‘아이스크림 줄까.’하고 물었다. 거절할 이유가 없는 아이의 끄덕임은 마치 자동차 대시보드 위의 태양열 인형 같았다. 승무원이 가져다준 아이스크림을 입에 묻혀 가며 달달함을 즐기고 있던 아이의 얼굴에 초콜릿 향이 피어올랐다. 아무리 주변을 둘러봐도 조용하고 널찍한 비즈니스 칸엔 우리밖에 없었다. 참새 한 마리와 꼼꼼치 못한 엄마. 혀로 싹싹 핥아 먹던 아이스크림이 끝나자 당분이 보충된 참새가 입을 열었다.

“엄마, H 이모는 어디에 있어? 아이스크림이 너무 맛있어. 다음에도 우리 이거 타고 가자.”

“응. 이모는 제주 공항에서 기다리고 있을 거야. 엄마 마일리지 또 쌓이면 다음엔 더 먼 곳으로 비즈니스 타고 가자."

몇 마디나 주고받았을까. 제주 공항에 벌써 도착을 해버렸다. 헛웃음이 났다. 내 인생의 첫 파리행 비행기를 타며 차곡차곡 쌓아둔 마일리지를 제주도행 비즈니스석에 쓰게 될 줄 누가 알았을까. 꼼꼼치 못한 엄마 덕에 그날 그 시간, 아이는 행복해했다. 그렇게 아이의 행복을 바라보는 게 내 삶의 이유가 아니었던가. 덜렁함도 때론 쓸모가 있는 게 분명했다.

미술관에서 노는 아이

전시장 관람객이 너무 없던 화요일. 월요일이 보통 휴관이니 비가 내린 화요일엔 너무도 당연한 일이었다. 2019년 여름, 나는 수원시립미술관에서 도슨트 양성교육을 받았다. 그리고 같은 해 겨울, 서류심사를 거쳐 1차를 통과하고 오스트리아의 3대 화가 '훈데르트 바서' 작품 두 점으로 시연을 하고 2차까지 최종 합격해 수원시립미술관의 정식 도슨트가 되었다. 그런 내가 연습을 거듭했음에도 불구하고 적은 인원 앞에서 떨고 있었다.

직장 생활할 땐 회의도 주관하고 발표 자료를 만들어 앞에 나가 말할 기회가 많았지만, 그게 벌써 언제 적인지 모르겠다. 코로나19로 침체기를 맞은 건 비단 나뿐만은 아니니 지금을 너무 탓하진 말아야겠다. 덕분에 열심히 책 읽고 글 쓸 시간이 주어졌으니 말이다. 나의 내면에 깊고 단단한 씨앗을 심는 시간이 주어진 걸로 생각하자.

관람객이 없던 그 날은 아이의 온라인 수업이 있던 날이었다. 매시간 과제가 있으니 6교시 과제까지 마치고 점심도 못 먹고 부랴부랴 나오느라 떡 몇 조각 입에 문 게 다였던 점심시간. 아이와 함께 전시해설을 하러 미술관에 갔다. 관람객이 찾기 전에 아이와 체험 부스에서 그림을 그리고 책도 읽었다. 어떤 부분에서 내가 좀 더 신경을 써서 말하면 좋을지 꼼꼼하게 체크를 해 준 덕에 전시설명을 하는 동안 그 부분에 초점을 맞춰 이야기를 풀어갔다. 전시해설 중일 때, 엄마의 얘기를 듣기도 하고 관객의 반응을 살피기도 했던 아이가 해설이 끝나자 나에게 몇 가지 조언을 해주었다.

전시 해설 시, 관객을 기다려준 점은 좋았으나 다음번엔 목소리가 조금 더 크면 좋겠다고 말이다. 한 타임이 끝나고 아이와 대기실에서 함께 책을 읽고 있는데 그 시간이 충만하게 다가왔다. 그저 엄마 옆에 앉아 의연하게, 대견하게 있는 것 자체만으로도 힘이 나던 시간이었다. 엄마가 예전과는 다른 길에서 조금씩 성장하는 모습을 아이도 옆에서 지켜보며 함께 커 가는 것 같아 내심 도슨트에 도전하길 참 잘했단 생각이 들었다.

그러고 보니 아이가 몇 주 전부터 '너프 건'을 갖고 싶다고 했다. 남편은 하루에 3개씩 용기 있는 일을 하면 어린이날 '너프 건'을 사주기로 약속했다. 아이는 아빠와의 약속을 지키기 위해 발표도 제일 열심히, 과제도, 영어 공부도 열심히 하면서 조금씩 자신 안에 감춰져 있던 자신감을 찾아내고 있었다. 또 다른 자신의 모습이 마음에 드는지 요즘엔 온라인 수업 분위기를 주도해 나가고 있다. 그룹 수업에서도 리더 역할을 도맡아 하니 몇 주 전까지 부끄럼 타던 아이는 과연 누구였나 싶을 정도다. 아이가 책을 좋아하니 지문 읽는 속도나 이해도가 빠른 점이 학습에서 점점 더 빛을 보고 있는 것 같다. 특히 4학년부터는 서로의 생각을 말해보는 그룹 토론 수업이 과목마다 있는데, 의외로 그런 수업이 아이에게 맞았다. 서술형에선 막힘이 없는데 꼭 연산에서 실수하던 것도 마찬가지였다. 이해하는 속도가 빨라지고 자신만의 계산법을 찾아 나가더니 선생님의 실수를 찾아내기도 했다. 문제 풀이 선행을 하지 않기에 수업 집중도가 높아서 가능한 일이 아닌가 싶은 생각이 들었다.

요새 그런 아이의 모습이 사랑스러워서 전시설명이 끝나고 대형서점에 데려가기로 약속했다. 서점에서 책 보는 일은 가능하나 직접 새 책 사주는 일은 드문 일이라 고민이 됐다. 설명을 좀 덧붙이자면, 아이의 책 읽는 속도가 워낙 빠르고 500페이지 이상의 시리즈물을 1부당 6권짜리 총 3부를 읽어내는 수준이라 매번 책값을 충당하기가 사실 버겁다. 또 하나의 이유는 주방 수납장까지 아이 책으로 쌓여가는 집이다 보니 더 이상 그 두꺼운 책들을 둘 곳이 마땅치 않아 사기보다는 빌려서 읽게 되었다. 고민 끝에 생일에 엄마가 축하한다고 전해준 10만 원과 서점에서 보내온 생일 축하 할인 쿠폰을 사용하기로 했다.

전시설명을 하던 '아트스페이스 광교' 옆엔 건축계의 노벨상인 프리츠커상을 수상한 세계적인 건축가 '렘 쿨하스'가 디자인한 '갤러리아 광교'가 있다. 구름이 건물을 뭉실뭉실 덮고 있는 듯한 형상의 예술 작품 속에서 아이와 점심 겸 저녁을 먹고 온통 빛이 관통하는 스카이 워크를 걸었다. 짧은 데이트를 끝낸 뒤, 맞은편 서점으로 향했다. 아이가 작년에 〈전천당〉이라는 책을 시리즈로 한참 재미있게 읽어서 새 책으로 사 주었다. 그런데 〈고양이 전사들〉과 〈테메레르〉를 읽으며 〈전천당〉은 뒷전이길래 중고로 정리했었다. 그 사이 〈전천당〉이 계속 시리즈로 나와 총 열 권이나 된 모양이다. 문제는 이 책이 최근에 아이들에게 인기몰이 중인지 다시 〈전천당〉 열 권을 사달라는 거다. 이리저리 머리를 굴려봐도 손해고 남편과 이걸로 옥신각신할 게 뻔해 보였지만, 아이가 변화하는 모습이 기특해 모든 걸 감내하고 사 주기로 마음을 굳혔다. 게임을 하는 것도 아니고 책을 사달라는 건데 뭘 아까워할까. 과감하게 옜다!

엄마와 함께하는 시간 동안 좋은 생각, 행복한 일들이 많이 일어났다고 느낀 하루였다면 그걸로 충분히 값진 시간이었다. 민감 센서를 장착하고 있는 우리는 집에 도착하자마자 머리가 아프고 속이 울렁거려 책을 읽는 것 외에 모든 스케줄은 생략해버렸다. 퇴근한 남편의 저녁을 챙겨주며 아이와의 자초지종을 얘기했고, 좋은 표정은 아니었지만 무난하게 넘어간 하루였다. 아이는 전날 산 책을 읽을 시간이 부족하다며 오전 8시에 이른 등교 했고, 아이가 없는 시간 나는 더 단단한 전시 스크립트를 만들기 위해 연습에 연습을 거듭했다. 다음 전시 땐 아이에게 더 나아진 전시해설가의 모습을 보여주고 싶다. 그렇게 엄마와 아이는 각자의 자리에서 독립적으로 설 자리를 찾아간다. 서로가 서로를 힘껏 응원하면서…

엄마, 내가 오른쪽에서 같이 밀어줄게

둘째 조카가 초등학생일 땐, 함께 짝을 이뤄 에버랜드에 가곤 했다. 아이와 네 살 터울이던 둘째 조카는 어느덧, 중2가 되어 초4와 에버랜드에 갈 시간이 없어졌다. 막내네는 6살, 4살 남매가 있다. 그러니 에버랜드에 가는 일은 이제 막내 조카들과 함께한다. 아이는 아직 어린 조카들을 살뜰하게 챙긴다. 6살 여자 조카는 독립심이 강하고, 4살 남자 조카는 뭘 해도 싱글벙글이다. 그런 조카 둘이 아이의 양손을 하나씩 잡고 에버랜드로 향하던 어느 날이었다.

비가 내리진 않을까 싶던 날씨는 오히려 덥고 습했다. 쓰고 있던 마스크 때문인지 두통이 밀려왔다. 코로나19로 입장객이 줄어든 에버랜드에서조차도 체력적인 피로도 보다 정신적인 피로감이 컸다.

혼자 아이 셋의 육아를 감당하고 있는 엄마들은 어떻게 그 아이들을 감당할까 싶은 날이었다. 얌전한 하나를 날로 키우고 있는 나로선 에너지가 남다른 아이를 둘이나 키우고 있는 막내가 대단해 보이기까지 했다. 서로가 가진 에너지의 양만큼 아이들도 그에 맞춰 자라나 보다.

쉴 사이 없이 걷고 나니 허기가 졌다. 우리는 식당을 찾아다녔다. 에버랜드의 많은 식당이 코로나19로 인해 'CLOSE' 팻말을 달아두고 있었다. 문을 연 곳 중 한곳에 들어가 아이들을 위해 바비큐 세트와 우동 한 그릇을 시켰다. 평소 음식에 큰 관심이 없는 우리 아이와는 다르게 동생네 아이들은 뭐든 잘 먹고 또 많이 먹는 편이었다. 뜨거운 감자튀김을 식히지도 않고 입에 넣는 조카와 함께 우동을 먹고 있던 우리 아이를 배려하지 못했다. 이렇게 아이가 여럿 있을 땐 더 어린아이들부터 챙기는 게 당연하다 생각했던 것이 실수였다. 같은 그릇에 우동을 번갈아 가며 먹던 조카가 그걸 뱉어버리자 아이가 젓가락을 내려놨다.

"에고, 엄마가 우동 따로 시켜줄게."
"아니야. 배불러."
"양이 많으니까 엄마랑 같이 먹는 건 어때?"

"그래."

큰아이 노릇 시키며 동생들을 챙기라고 했던 일이 아이를 속상하게 한 건 아닌가 싶어 조심스레 귓속말로 물었더니 따로 시켜달라고 했다. 아이와 우동 한 그릇을 나눠 먹고 돌아오는 차 안에서 다시 한 번 물었다.

"우동 따로 먹고 싶으면 그냥 얘기하지. 왜 처음부터 안 먹겠다고 했어?"
"우동에다가 그럴 줄 몰랐어. 같이 먹고 있었잖아."
"화가 나거나 삐친 게 아니었어?"
"응. 그때는 다른 것도 먹고 싶지 않았어."
"처음부터 따로 하나씩 시켜줄걸. 먹다가 남길까 봐 그랬던 건데 엄마가 생각이 짧았어. 미안해."

보통, 아이를 데리고 놀이공원에 가면 나는 주로 도시락을 싸서 다녔다. 그날은 막냇동생이 쿠폰을 쓰자고 했던 날이라 물을 제외하곤 아무것도 챙겨가지 않은 날이었다. 장이 약한 아이가 음식을 잘 못 먹어 탈 날까 싶기도 했고, 음식값 대비 딱히 먹일 만한 게 없던 탓이기도 했다. 둘째와 다닐 땐 그렇게 늘 도시락을 챙겨 다니곤 했다. 생각해 보면 그래서 둘째와 나에겐 아이를 하나만 주셨나 싶고, 또 막냇 동생 성향엔 둘도 가능하다 싶으니 그리 주셨나 싶은 생각이 들기도 했다. 처음부터 아이 몫으로 하나를 그냥 시켜줄 걸 돌아오는 내내 미안했다. 어린 조카를 유모차에 태워 언덕을 오르락내리락하는 일은 덥고 습한 날엔 더 지치기 마련이다. 그런 나를 보고 아이가 말했다.

"엄마가 제일 힘든 거 같아. 나는 오늘 좋았는데 엄마가 안 행복해서 어떻게 해?"
"아니야. 엄마는 네가 행복한 날이면 그걸로 제일 행복하지. 덥고 습한 날씨에 마스크를 쓰고 있으려니 숨 쉬는 게 힘든 거지 다리가 아프거나 그렇진 않아. 우리 한라산 백록담도 갔잖아. 하하."
"엄마 왼쪽으로 더 가 봐. 내가 오른쪽에서 같이 밀어줄게."

놀이기구 타는 걸 좋아하는 조카들과 있다 보니 아이가 좋아하는 동물들을 더 보지 못한 게 내내 아쉬웠던 모양이었다. 중간쯤에서 아이는 동물 쪽으로, 조카들은 놀이기구 쪽으로 나누어 놀다가 다시 만날까도 싶었는데 에너자이저 둘을 혼자 케어할 막내 생각에 결정이 쉽지 않았다. 형제가 없으니 이런 날 우애를 배우고 엄마 마음도 헤아려 보는 시간을 갖게 되겠구나 했는데 생각지 못하게 짠한 마음이 들고 말았다. '동물농장'에 나오는 동물들을 모두 만나보지 못하고 아쉽게 발걸음을 떼는 아이의 모습이 눈에 밟혔다.

“엄마, 다음에는 아빠랑 근처 숙소에서 하루 자고 셋이서 같이 에버랜드 다시 오자. 나는 놀이 기구는 안 타고 싶어.”

“그럴까? 다음엔 우리 셋이 다시 올까?”

“응. 사파리, 로스트 밸리, 판다까지 봤는데 다른 동물들을 못 봤어. 다시 보러 갔을 땐 시간이 끝났었잖아. 동물을 많이 못 본 게 아쉬워.”

“그래. 당분간은 학교생활 열심히 하고 방학하고 아빠랑 셋이 다시 오자. 오케이?”

에버랜드를 나서며 막내 조카의 유모차를 끄는 엄마가 힘들까 봐 함께 밀어주며 공감의 말을 건네주던 예쁜 아이. 어느새 이렇게 의젓하게 컸나 싶어 코끝이 찡한 순간이었다.

보여줄 수 없는 마음

스승의 날이던 금요일엔 바빴다. 부랴부랴 샤워를 마치고 나가서 도슨트 선생님들과 만나 얘기를 듣다 보니, '아차, 오늘이 스승의 날이었구나.'

아이가 커가며 고마운 선생님이 두 분 계신다. 첫 번째는 아이 3학년 때 담임 선생님이다. 매주 재미있는 주제로 글쓰기 숙제를 내주셨던 3학년 담임 선생님 덕에 아이가 글쓰기에 흥미를 느끼게 됐다. 아이의 상상력을 최대한 끌어내 쓴 글을 수업 시간에 직접 읽어주실 정도로 독창성에 칭찬을 아끼지 않으셨다. 교과서 같은 답이나 학습지 답안 같은 글에 칭찬하셨던 게 아니라, 아이가 가진 생각에 힘을 실어 주셨던 분이다. 4학년이 된 지금도 꾸준히 주제 글쓰기를 하고 있다. 꼼꼼한 피드백에 아이와 선생님이 한바닥 글로 작은 소통을 이어가는 모습이 내내 보기가 좋았다. 인생에 좋은 선생님을 만날 기회란 그리 흔치 않으니 얼마나 감사한 일인가.

두 번째는 피아노 선생님이다. 다른 아이들은 7살 때부터 피아노, 태권도, 가릴 것 없이 하고 싶은 게 많다는데 우리 아이는 하고 싶은 게 없는 아이였다. 그저 엄마 옆에 앉아 얘기하거나 책을 읽으면 그걸로 만족해했다. 돌이켜보면 아이가 어린이집, 유치원 다닐 때 일을 병행하고 있었지만, 시간이 자유로운 프리랜서다 보니 일주일에 한 번씩은 아이를 데리고 어린이 연극, 뮤지컬 공연장, 미술관, 박물관, 체험할 수 있는 다양한 곳을 찾아 다녔다. 엄마와 함께하는 시간이 더 좋았던 아이에겐 당연한 일이었는지도 모르겠다. 초등학생이 된 이후로는 내내 그걸 잘못한 건 아닐까 자책하기도 했다.

모든 아이는 저마다 다르게 태어난다. 그 다름을 인정하고 알게 되기까지 기다림의 연속이다. 남들과 똑같이 가는 걸 바란 건 아니다. 뭔가 배우고 싶다거나 해보고 싶은 게 있는 아이였으면 했다. 우리 아이는 좀 달랐다. 탐색하는 시간이 길었고, 낯선 것에 호기심이 발동하는 나와는 달랐다. 지금 와 생각해 보면 선택한 것에 대해선 집중도가 높은 타입이고, 모르는 걸 자연스럽게 알고 난 후에 더 자신감이 붙는 아이였다. 작은 씨앗 하나가 줄기가 되어 잎을 틔우고, 열매를 맺기까지 얼마나 오랜 시간이 걸리던가. 아이의 성장도 씨앗의 성장처럼 기다림의 미학이다.

그런 아이가 피아노를 시작한 건 초등 2학년 여름방학 때였다. 아이가 드디어 피아노를 배우고 싶다고 했다. 아파트 단지 안, 피아노 학원에 등록했지만, 스파르타식 선생님의 수업방식이 마음에 들지 않았다. 그저 아이에게 음악은 사랑스럽고 행복한 기분을 느끼게 해주는 무엇 중 하나로 자리 잡아가기를 바랐다. 그러나 피아노 선생님이었던 엄마 밑에서 호되게 피아노를 배운 세련되고 젊은 선생님은 신경질적으로 아이들을 대했다. 나는 예술을 대하는 방식에 대한 나름의 철학이 있다. 예술은 치유이자 위안이 되어야 한다. 상처를 받는 곳이 되어선 안 된다.

어느 날, 여자아이 하나가 '콩쿠르'를 준비하며 선생님으로부터 마음 상할 얘기를 들었다고 했다. 선생님의 수업방식은 모든 악보의 음계를 입 밖으로 내서 외울 수 있을 때까지 반복, 또 반복이었다. 학원은 아이를 맡아주는 곳이 아니라며 50분이 넘어가면 하원을 시키는 철저한 수업방식을 고수했다. 어떤 날은 한 아이의 악보를 찢으며 신경질적인 분노를 퍼붓기도 했다고 한다.

보통의 엄마들은 집에서도 말 안 듣는 아이를 선생님이 다그쳐 주니 마음에 든다고 했다. 스파르타식 교육방식쯤 견뎌내야 살아갈 수 있다고도 했다. 생각의 다름을 인정한다. 그러나 내 예술에 대한 철학은 행복하고 즐거운 데 있었다. 마음에 생채기 내는 짓을 돈 내면서까지 할 필요가 없어 학교 근처 다른 피아노 학원을 둘러봤다.

지인의 추천으로 단지와는 거리가 있는 학원 한 군데에 상담을 갔다. 다행히 선생님의 음악에 대한 마인드가 마음에 들었다. 아이들을 대하는 활기찬 모습도 좋아 보였다. 아이들의 다름을 볼 수 있는 눈을 가지고 있을 것이라는 생각이 들어 그곳으로 학원을 옮겼다. 하지만 2020년 코로나19가 한창이던 때, 학원들이 오랫동안 문을 닫았고 그러는 동안 다른 아이들은 하나둘 논술이나 영어, 수학 학원을 위해 예체능과 멀어져 갔다.

여전히 우리 아이는 피아노 학원엘 다닌다. 아이가 힘들어할 때면 선생님께 쉬겠단 연락을 드리는데, 그럴 때마다 즐거운 데이트를 하라며 선물 쿠폰을 보내셨다. 체르니를 시작하면서부터는 교재비를 아예 받지 않으시는 마음 따뜻한 선생님과 아이는 소통을 이어 간다. 교육에 있어 가장 중요한 것은 소통이다. 하나의 인격체인 아이를 짓누르려고 해서는 안 된다. 아이들은 모두 천재로 태어났다는 피카소의 말이 떠오른다. 그런 아이들의 재능이 어른들로 인해 짓밟히는 일은 교육자로 해서는 안 될 일이다. 그래서 가르치는 일은 참 조심스럽고 어려운 일이다. 그 어려운 일을 잘 해주시는 분들이 있어 감사했던 스승의 날을 그냥 넘길 수 없어 홍차 마들렌을 구웠다. 커피를 좋아하신다는 얘길 듣고, 비 오는 날 홍차 마들렌과 커피, 딱 좋은 궁합이겠다 싶어 준비한 걸 선물로 드렸다.

내가 아이만 할 때는 때마다 빈번하게 학교에 가 손에 꽃다발과 맛있는 간식 보따리를 싸 들고 오는 엄마들을 어렵지 않게 만났다. 시간이 없는 부모님을 둔 덕도 있었겠고, 그게 그리 좋아 보이지 않는다고 생각했던 어린 시절과 달리, 지금은 정말 고마운 선생님께 부모로서 마음을 전달할 수 없음에 안타까운 마음이 들기도 한다.

스승의 날, 다른 사람들은 어떤 선물을 할까? 마음이 정말 감사할 때는 어떻게 표현할까? 정을 주고받는 일이 변질되지 않는 선에서 직접 구운 빵 정도는 괜찮아지면 안 되는 걸까? 표현하고 싶은 마음은 굴뚝인데 연기를 피우지 못해 안타깝던 날. 아이가 진심인 마음을 담아 그린 그림 두 점을 각각 학교 선생님과 피아노 선생님께 선물로 드렸다. 그렇게 선물한 그림이 학교 벽면에, 피아노 학원 벽에 걸려 있다고 한다. 내 책 쓰기가 끝나면 아이가 그동안 써왔던 주제 글을 엮어 책으로 만들어 선생님께 한 권씩 드릴 생각이다. 이런 선물은 부담 없이 두고두고 마음에 남지 않을까? 이 정도는 괜찮지 않을까?

스승의 날이 한참 지나고 나서야 이런 글을 쓰며 또 한 번 감사한 마음을 가져 본다.

왜 이렇게 사서 고생하며 사는지

제주 여행은 이번이 다섯 번째다. 첫 번째는 신혼여행을 다녀온 후 석 달 뒤 떠났고, 두 번째는 어머님을 모시고, 세 번째는 아이와 둘이서, 네 번째는 작년에 우리 가족끼리만 떠났다. 앞선 네 번의 제주 여행이 차를 대여해 동서남북을 마구 찍고 다니는 여행이었다면, 이번 제주 여행은 가장 긴 7박 8일을 렌트 없이 가는 게 포인트였다. 동서남북 찍는 여행이 아닌 동네 여행을 하자고 말이다.

"우리 이번엔 숙소 근처에만 있다가 올까?"

"그래. 근처에 갈만한 곳이 많더라."

"코로나로 해외에 나갈 수 없으니 제주도로 몰려 렌트카 비용이 얼마나 올랐나 몰라. 주변 아는 엄마는 방학 때 한 달 살이 가는데 렌트 비용이 만만치 않아서 차를 싣고 가기로 했대."
"안 그래도 찾아보니 평소 보다 거의 10배나 올랐어."
"걷자. 올레길도 걷고 한라산 백록담도 가고 근처 우도도 가고."

왕복 비행기 티켓은 몇 달 전, 가장 저렴한 날에 맞춰 미리 끊어뒀다. 차량은 렌트도 없고 캐리어도 없이 각자 백팩에 꼭 필요한 것만 넣어 가기로 했다. 남편은 〈건축: 빛과 선으로 삶을 그리는 사람〉, 아이는 김훈의 〈칼의 노래〉 1권, 2권', 나는 〈읽고 쓴다는 것, 그 거룩함과 통쾌함에 대하여〉를 각자 가방에 담았다. 이번엔 차량도 없고 한라산과 우도를 제하고는 숙소 근처로만 가볍게 다닐 예정이라 일주일 동안 읽을 책을 심사숙고해서 챙겨뒀다. 하루라도 책을 읽지 않으면 입안에 가시가 돋을 만큼 책을 좋아하는 우리 가족의 첫 번째 준비물은 역시나 책이었다.

남편은 등산 장비와 보온병 두 개, 속옷과 3일 동안 입을 옷, 그리고 바람막이를 챙겼다. 그리고 아이와 신랑의 크록스 하나씩. 나는 먼저 정신을 차려두는 게 필수! 두 번째는 3일 동안 입을 속옷과 옷가지, 바람막이, 쪼리 하나, 세면도구들과 기초화장품과 선크림. 아이는 4일 치 옷과 바람막이, 해리포터 지팡이, 휴대용 루미큐브, 휴대용 선풍기.

카키색을 유난히 좋아하는 나의 취향에 따라 가족의 가방은 모두 카키 빛을 띤 채로 제주도로 갈 날만 기다렸다. 초등학생 때 그렇게 여군이 되라던 아빠의 말이 씨가 된 건지 군인은 안 됐어도 유별나게 카키색을 좋아하는 아이로 자라기는 했다. 나란히 서 있는 카키 빛 백팩을 보고 있자니 여행은 역시 떠나기 전, 설렘이지 말입니다!!!

우린 백록담을 가기 위해 백화점까지 가서 거금을 들여 트레킹화를 샀다. 대학 때 산악회에서 많은 산을 다녔다고 전설처럼 얘기하던 남편도 한라산은 가본 적이 없다며 백록담까지 가보고 싶어했다. 부모님은 계절별로 그곳에 다녀오셨는데 우린 다섯 번을 가는 동안 한 번도 한라산 생각을 못 했다. 그도 그럴 것이, 아이가 어렸고 일정이 길지 않아 한라산 말고도 가보고 싶은 곳이 많았기 때문이었다. 왕복 8시간이 넘는다는 한라산행은 나도 해본 적이 없었다. 다리가 튼실한 편인 나는 별걱정이 되지 않았다. 하지만 무엇보다도 날씨, 그리고 초등학교 4학년인 아이가 끝까지 완주할 수 있을지가 관건이었다.

제주 한 달 살이에 관한 책엔 한라도서관 소개가 있었다. 높은 곳에 자리 잡고 있어 공기 좋은 건 물론이고 풍광이 예쁘다고 해서 꼭 가보자던 것을 숙소와 반대편에 있어 과감하게 뺐다. 도서관 구내식당에서 파는 3천 원짜리 멸치국수가 일품이라는 글이 잠시 내 마음을 사로잡았지만, 여행은 '비움의 철학'이라는 걸 실행하기로 했다.

이번 여행은 호텔이나 리조트를 숙소로 잡지 않았다. 아이도 컸고 그림에 관심도 많을 때라 마음껏 그림을 그릴 수 있는 게스트하우스가 있다고 해 그곳으로 정했다. 안도 다다오의 본태 박물관, 이타미 준의 방주교회, 제주 4.3 평화공원, 포도호텔 등은 물론, 아이가 여러 번 갔으면서도 또 가고 싶어 했던 에코랜드도 모두 뺐다. 차가 없는 동선을 고려해 과감하게 내린 결정이었다. 우리 숙소가 있던 신양 마을 근방은 갈 곳이 충분했다. 섭지코지, 붉은 오름, 우도, 제주 올레길 2코스, 고성 5일 시장, 유민 미술관, 휘닉스 아일랜드 카페 등 먹을 곳도 근처에 다양하게 포진되어 있었다.

갈 곳에 대한 욕심을 내려놓으니 사방을 찍고 다니던 지난 여행에 비해 이번엔 갈 곳이 명확하게 눈에 들어왔다. 다섯 번째 제주행이니 여섯 번째는 또 다른 루트를 정해 그 근방만 촘촘히 다녀보는 것도 좋겠단 생각이다. 종이에 가득 적힌 그간의 계획과 그걸 수정하며 얻은 비움의 철학. 살아가는 일도 그렇지만, 여행에도 꼭 필요한 '비움'. 그것이 바로 여행의 기술이지 않을까. 욕심내지 않고 조금씩 덜어내는 것, 할 수 있는 것만 하는 것, 느낄 수 있을 만큼만 느끼겠다고 마음먹는 것과 같이 꼭 필요한 만큼만 남기고 나니 선명하고 또

렷한 동선만 남았다.

매년 같은 꽃이라며 관심 없던 때가 있었다. 나이를 먹는다는 건 꽃이 피고 지는 자연의 이치가 얼마나 감동인가를 눈물 나게 알아가는 과정이 아닐까? 불필요한 것들을 비워내고 꼭 필요한 것들로만 채워가는 기술은 여행이나 인생에 매 다르지 않음을 느끼게 된다. 올레길을 걸으며 걷기를 다진 후, 한라산에 올라 3대가 덕을 쌓아야 볼 수 있다는 백록담을 보고 돌아왔다. 그 걸음에 맛이 들어 또 걸으러 가고 싶어지는 나는, 왜 이렇게 사서 고생을 하며 사는지 알다가도 모르겠다.

잠시
잊은 시간

응답하라 1988

삶은 내 곁을 맴도는 대상들과 오해와 인연을 맺거나 풀어가는 과정이다.

_<글의 품격> 이기주

1980년대, 초등학생 시절 나의 세상은 모든 것이 넘치도록 행복했다. 사는 것이 여유로워 행복했던 것이 아니다. 모두가 살기 어려웠던 시절임에도 서로가 서로를 보듬고 챙기느라 나날이 따뜻했다. 그 시절의 나는 뭐 하나 빠지는 것 없이 잘했다. 중학교 중간부터 공부와는 안녕이었으니 찰나의 잘난 척은 눈 감아 주자.(안 한 거다. 못한 게 아니라.) 성격이 털털해 남녀 가릴 것 없이 내 주변엔 친구들이 많았다. 친구들이 우리 집에 놀러 오는 날이면 내 동생들과도 함께 섞여 모두가 친구처럼 뛰어놀았다. 비가 오는 날엔 골목을 뛰어다니며 아는 친구들을 모두 불러냈다. 그리곤 집에서 가장 가까운 교회 앞마당에 가서 우산도 없이 소리를 고래고래 질러대며 발 박자에 맞춰 물을 튕기며 놀았다.

HS: 특별히 대장 하기를 좋아했던 친구. 누구든 힘들어하는 걸 못 봐 궂은일을 늘 도맡아 했다. 반장이었다. 그의 아버지는 직업군인이라고 들었지만, 한 번도 본 적은 없었다. 초등 입학 전 돌아가셔서 엄마와 여동생만 함께 살고 있었다. 그 역시 공부를 잘했고 과학 만들기 대회에 나가 입상을 해 학교에서 이름이 유명했다. 그러나 HS는 대학에 가지 않았다. 몇몇 회사에서 일을 배우다 우리나라 패션계에서 이름 있는 G사에 단추를 납품하는 회사를 차려 대표가 되었다.

DJ: 함께 어울려 놀긴 했지만, 두꺼운 안경을 무겁게 걸친 어수룩한 모양새가 어딘지 모르게 천재 포스를 풍기던 친구였다. 뛰어노는 것보다 무겁게 앉아 책 읽는 걸 좋아했다. 아니나 다를까 과학고를 조기 졸업하고 카이스트에 들어갔다는 소식을 후에 전해 들었다. 바로 앞집에 살던 친구다.

SH: 이 친구는 엄마가 교장 선생님이셨고 위로 터울이 한참이나 있는 공부 잘하던 형이 있었다. 그 당시 나는 〈셜록 홈스〉에 빠져있었다. 생일에 초대받아 놀러 갔던 그의 집에 당시 내가 좋아하던 책들이 전부 있는 걸 보고는 매일 조금씩 빌려봤던 기억이 난다. 집도 잘살고 잘생긴 외모에 키도 컸지만, 가만히 앉아 있질 못해 선생님께 늘 꾸중을 듣던 친구였다. 그 친구는 축구를 잘해 축구선수가 될 줄만 알았다. 당시 우리 학교는 축구부와 체조부가 유명했다. 안면은 없지만 박지성 선수도 초등학교 후배다. 후에 알게 된 사실인데, 한 인물 하던 그는 '나이트클럽'에서 경호를 보며 우리가 범접할 수 없는 세계에 들어갔다고 했다.

HD: 말하기 좋아하고 따지기 좋아하던 이 친구는 졸업식 때 대표로 우등상을 받았다. HD는 때마다 우리 집 창문 안으로 이것저것 많이 던져 놓고 갔었다. 내 동생들이 그의 초콜릿과 사탕, 곰 인형을 엄청 좋아했다.(찬란했던 시절은 초등시절까지니까 조금만 더 이해하자.) 역시나 똘똘했던 그 친구는 H대 법대에 들어 갔고 언젠가 변호사가 되어 좋은 언변으로 힘든 사람들을 변호하게 될 줄 알았더니 그와는 정반대의 삶을 살아가고 있다고 전해들었다. 초등학교 때도 그렇게 여자 꽁무니를 쫓아다니더니….

DK: 친구 중 유일하게 아파트에 살던 그도 초등시절 참 똘똘했다.

형들이 있어서인지 남자들끼리 쑥덕거릴만한 얘기를 듣고 와선 시시덕거리곤 했다. 원해서 가게 됐는지는 모르겠지만, 사회복지학과를 나와 봉사활동을 정말 열심히도 했다. 친구들과 만날 때면 아픈 사람들을 보는 게 너무 힘들다며 정신을 못 차릴 정도로 술을 마셨다. 살아있는 한 그들을 저버릴 수 없었던 건지 결국 간암으로 먼저 세상을 떠났다.

JY: 나와 함께 미술로는 최우수와 우수를 주거니 받거니 했던, 학교에서 유일한 라이벌이었던 이 친구는 미술을 전공하지 않고 중국어를 선택했다. 대학 선배와 너무 일찍 결혼하는 바람에 우울증이 와서 이혼하고 혼자 살면서 뒤늦게 디자인을 배워 회사에 취직했다. 남자아이 둘을 두고 나올 만큼 우울증이 심각했던 것 같다. 한 번은 그녀의 언니에게서 다급하게 전화를 받은 적도 있었다. 동생이 연락도 없이 잠적했는데 혹시 연락을 받은 적이 있는지, 그렇다면 꼭 좀 친정으로 연락을 달라는 부탁이었다. 내가 기억하는 그 친구의 언니는 호랑이처럼 무서웠다. 친구들이 뭉쳐 놀 땐 시끄럽다며 다른 데 가서 놀라고 무서운 발톱을 세우기 일쑤였다. 하지만 그날 언니의 목소리엔 눈물과 떨림이 뒤범벅되어 있었다. 내게도 연락이 없어 걱정이 이만저만이 아닌 큰 사건이었다. 시간이 한참 지나고 나서야 스스로 돈을 벌며 행복하게 살고 있다는 얘기를 수화기 너머로 전해 들었다.

이제는 아이들을 데리고 올 수 있지만, 시간이 너무 흘러 아이들이 자신을 용서할 수 있을지 모르겠다고 했다. 그 후로 친구의 전화번호가 바뀌었고 우리의 연락도 그날이 마지막이었다.

HJ: 유난히 눈빛이 반짝거리던 친구. 공부도 잘하고 똘똘해 인기가 많았다. JY와 함께 '베프'였다. 언니, 오빠들과 나이 터울이 컸고 부모님도 연세가 있었다. '라붐'이라는 프랑스 영화를 그녀의 집에 모여서 설레하며 봤던 기억이 난다. 6학년, 그녀의 엄마가 돌아가셨다. 그녀의 엄마는 '난파 소년·소녀 어머니 합창단'으로 노래하러 가시는 도중 교통사고를 당했다. 그 후 아주 오랫동안 그녀가 힘들어했지만 내가 유학을 가 있는 동안 여러 번의 연애 끝에, 가장 안정적인 사람을 만나 결혼했다.(그러고 보니 나는 친구들 결혼하는 동안 결혼의 고리에서 벗어나기 위해 다른 세계로 도망을 가 있었다.) HJ는 S대 백신 연구소에서 지금의 남편을 만나 아들 둘을 낳고 그를 따라 미국으로 가 버렸다. 남편의 대학 은사님이 미국에 있는 대학교 연구직을 제안하셨던 것으로 기억한다. 미국으로 가기 전, 우리 아이 돌잔치를 기점으로 역시나 연락이 끊겼다.

따지고 보니 연락이 끊긴 건 모두 내 불찰인듯싶다. 털털해서 좋은 성격은 반대로 말하면 세심하지 못한 사람이라는 뜻일지 모른다. 주위엔 늘 친구가 많았지만 언제나 난 그들보다 내가 우선이었다. 친구들을 챙기지 않고 늘 오는 연락만 받고 살았던 건 아니었는지. 제일 친하게 지냈던 일곱의 친구를 모두 떠올렸다. 선우정아의 노래 〈그러려니〉를 듣고 있자니 그때의 친구들이 그리워졌다.

첫 번째에 소개한 친구 HS는 더는 이 세상 사람이 아니다. 2006년, 잘나가는 회사 대표였던 그의 사업이 부도가 났다. 내게도 몇 차례 돈을 빌리러 왔었다. 유학 후 돌아온 나에게도 돈은 절실했다. 디자인 일을 하며 꼬박꼬박 모은 돈으로 보험도 들고 공부한다고 벌여 놓은 일에 조금씩 필요했던 터라 빌려줬던 돈은 늦더라도 받아야만 했다.

힘든 일이 있어도 생전 티를 안 내던 친구라 사업이 어느 정도까지 힘든지 알지 못했다. 사채업자들에게 쫓기는 신세였다는 걸 안건 HS의 장례식장에서였다. 나에게 특별히 서운함을 표현하며 울고불고 하던 그의 부인에게 전해 듣고서야 알게 됐다. 없으면 죽는 것도 아니면서 삼십만 원을 꼭 받아야만 했느냐고. 둘이 앉아 하염없이 울었다. 그렇게 허망하게 갈 줄 알았다면 내가 그 돈을 어찌 돌려받았을까. 두고두고 오래도록 마음이 아팠다.

그가 하늘나라로 간 지도 햇수로 15년이다. 살아 있었다면 오가며 부부끼리 술도 한잔 기울이고 서로 사는 얘기하며 옛 추억을 떠올리곤 했을 텐데, 하고 싶은 것도 마음껏 못해보고 집안 가장으로 살며 어깨에 짊어진 짐이 얼마나 무거웠을까. 인생이 정해져 있다면 너무 허망하지 않나. 며칠 전부터 일곱 친구 중 미국으로 떠난 HJ와 저세상 사람이 된 HS가 참 그립다. 그 일곱 무리 중에서도 셋이 가장 오랫동안 술잔을 기울였었는데...

다들 잘 지내고 있니?

네게 보내는 진심

인순이와 같이 화실을 다니게 된 건 고등학교 2학년 때부터였다. 나는 초등학교 때부터 미대만이 유일한 진로였다.(조금 이른 두각을 보였다고 하자.) 그녀는 학교에서 선도부를 할 정도로 공부를 잘하던 모범생이었고 수업 시간에 필기를 하지 않는 친구로도 유명했다. 학기가 다 가도록 그녀의 책은 따끈한 신상처럼 말끔했다. 하지만 시험을 보면 늘 상위권이라 천재가 아니냐며 친구들의 부러움을 사기도 했다.

그녀와 나는 '베프'였다. 우리의 연결고리는 신일숙 작가의 〈아르미안의 네 딸들〉이었다. 이 만화책은 아르미안을 배경으로 한 역사 판타지다. 불새의 나라이자 여성만이 왕위에 오를 수 있는 그곳에서 선대 여왕의 네 딸은 각자의 삶 속에서 운명과 싸우게 된다. 그녀와 나는 전쟁과 파멸의 신 '에일레스'의 왕 팬이었다. 자기 여자에게만 친절한, 검은 장발의 나쁜 남자 스타일 '에일레스' 때문에 시험공부는 뒷전으로 미룬 채 가슴이 설레어 밤잠을 설치곤 했다.

그러나 시험 결과가 나오면 그녀는 늘 상위에 있었고 나는…… 생략하자. 만화책을 보느라 공부를 하지 않은 건 둘 다 마찬가지였다. 게다가 그녀는 필기조차 하지 않았다. 우리가 모두 천재라 부르던 그녀는 어쩌면 외계인이었는지도 모른다. 나도 나름 별종이었고 똘끼가 충만한 안드로메다 인이었는데 그녀는 어느 별에서 왔는지 나와는 급이 달랐다.

공부야 어찌 되었든 우리는 깨알같이 쓴 편지와 엽서를 주고받으며 같은 공감대를 형성해 나갔다. 감성 가득한 소녀들은 예쁜 편지지를 떠올리겠지만 우리는 그런 편지지엔 글을 쓰지 않았다. 필요 없어진 서류봉투를 북~ 찢어 그 안에 큼지막하게 편지를 쓰기도 했고, 어떤 날은 '깜지'(노트에 빽빽하게 공부한 내용을 적는 것) 뒷면에 '우리는 도대체 왜 이런 걸 팔 아프게 해야 하나'에 관한 글을 쓰기도 했다.

하루는 그녀가 직접 만든 편지 봉투를 열었는데 그림이 그려져 있었다.

'어! 뭐야 이 외계인은 그림도 잘 그리잖아?'

나야 초등 고학년부터는 늘 개인교습이나 화실을 다녔고 고등학생이던 때도 수업이 끝나면 버스를 두 번씩 갈아타고 화실로 직행이었으니 그림을 좀 그린다는 건 어찌 보면 당연한 일이었다. 그런 내가 그녀의 새로운 재능을 발견하곤,

"인순아, 너 그림 생각보다 잘 그린다. 미술학원 다녔어? 나랑 그림 그리러 다니자. 넌 꿈이 뭐야?"

"그래? 그림 잘 그린다고 생각해본 적 없는데. 내 꿈은 변함없이 현모양처지."

"넌 성적도 좋으니까 그림 조금만 그려도 S대는 그냥 가겠다."

"그래? 딱히 하고 싶은 것도 없는데 그림 배워볼까? 집에 가서 부모님과 상의해 볼게."

"완전 부럽다. 공부 안 하는데 성적 나오지, 그림 안 배웠는데 그림 잘 그리지. 뭐냐 넌."

그녀의 재능을 발견한 이상 그대로 두기 아까워 입시 미술을 권했다. 학교 앞에서 버스를 두 번씩 갈아타고 멀고 먼 화실로 가는 길이 혼자가 아니라 행복했다. 그녀와는 만화책뿐 아니라 소설, 시에 대해

서도 많은 얘기를 주고받았다. 학교 스텐드에 앉아 주고받은 편지를 읽기도 했고, 방송반에 좋아하는 음악을 신청해 함께 듣기도 했다. 평범한 소녀들의 일탈은 이랬다. 수업이 끝나고 버스를 타지 않는 것. 학교 근처 수인선 폐철교 위를 목적지에 갈 수 있는 버스정류장이 나올 때까지 걷는 것이었다. 그곳에서 버스를 타고 목적지에 내리면 '롯데리아'로 들어가 가장 큰 버거세트를 시켰다. 화실 들어갈 시간이 한참이나 지났는데 그 시절엔 휴대폰이나 삐삐가 있던 때도 아니라 공중전화를 찾아 굳이 연락하지 않으면 선생님이 우리에게 연락할 방법은 없었다. 그렇게 실컷 먹고 웃고 떠들다 화실로 들어가면 잘생긴 '줄리앙' 앞에서 치마 훅이 '툭'하고 터지곤 했다. 우린 그게 또 재미있어 한참이나 얼굴이 벌게지도록 웃곤 했다. 그 시절의 일탈을 이제 와 생각하니 '조금 더 자주 해볼걸.' 하는 아쉬움이 남는다.

우리는 각자가 가고 싶은 대학교의 미대생이 되길 꿈꿨다. 고3 막바지에 다다르니 나는 원하는 대학에 들어갈 성적이 안 됐고, 인순이는 그림이 더는 늘지 않았다.

"너희 둘이 반반씩 나누면 가고 싶은 대학에 들어갈 텐데 이게 뭐니? 하나는 성적이 아쉽고 하나는 그림이 아쉽고."

우리는 나란히 원하던 대학교에 떨어졌다. 나는 화실에 발길을 끊었고, 그녀는 성적으로만 갈 수 있는 다른 학교를 찾았다. 하지만 결국 나는 원장님의 전화에 일주일 만에 다시 화실로 끌려갔다. 후기대를 준비하는 며칠 동안 반복해서 디자인 패턴 연습을 했다. 같은 해에 나는 영상디자인과와 몇몇 대학의 산업디자인과, 시각디자인과에 합격했고, 인순이는 컴퓨터 관련 학과를 지원해 합격했다. 아빠가 재수를 권했지만, 화구 통을 어깨에 메고 스케치북 들고 터너 물감으로 세상의 온갖 색을 만들어 입시장에 다니는 일을 더는 하기 싫었다. 한참이 지나고 나서야 후회를 하곤 하지만, 예나 지금이나 나는 승부욕이 별로 없다.

대학 입시로 큰 충격을 받았던 건 나보다 그 친구였는지도 모른다. 서로 다른 대학에 다니는 중에도 우리는 간간이 만나 소식을 전했다. 고맙고 미안한 건 그 친구는 나를 원망하지 않았다는 거다. 그녀는 컴퓨터 학원 강사로 오랜 경력을 쌓아 학교에서 아이들을 가르치는 컴퓨터 선생님이 되었고 나는 졸업과 취업, 그리고 유학으로 시간을 보냈다. 그러는 사이 그녀는 사랑하는 사람을 하늘로 떠나보내는 일이 있었고, 그래서인지 아주 오랫동안 연애를 꿈꾸지 않았다. 그녀가 결혼을 한 건 마흔이 거의 다 되어서였던 것 같다. 지금은 아이 없이 남편과 시댁에서 함께 산다. 시어머님의 사랑을 독차지하고 산다며 그 옛날 꿈이었던 현모양처가 드디어 됐다고 그렇게나 자랑을 한다.

고등학교 2학년 때 내가 그림 그리자고 꼬시지 않았다면, 그녀는 원하던 좋은 대학에 들어갔을지도 모른다. 필기 한 장 없는 깨끗한 책을 가지고 다니면서도 늘 상위권이었던 그녀는 지금까지도 날 원망하는 기색이 없다. 이따금 고등학교 시절을 생각하면 나는 역시나 그녀에게 미안한 마음에서부터 추억이 시작되곤 한다. 잘살고 있느냐며 오랜만에 전화나 한번 해보고 싶은데 휴대폰을 바꾼 탓에 번호도 없다. 나는 참 대책도 없이 살았나 보다. 비가 오니 내 친구 인순이가 더욱 보고 싶어진다.

스무 살의 우리는 어느덧

비가 부슬부슬 내리던 날. 스무 살이던 우리는 마흔의 중반이거나 마흔 중반을 훌쩍 넘겨버린 나이로 망원동 2번 출구에서 만났다. 수원에서 출발해 신도림을 거쳐 합정, 그리고 망원까지 두 시간이 걸리는 나들이. 매월 꼬박꼬박 2만 원씩 월회비를 낸 것도 벌써 20년. 청춘의 시작을 함께한 우리 모임의 이름은 '밴댕이'다. 밴댕이 소갈딱지처럼 속이 좁고 까칠하지만 꽉 찬 사람들이란 뜻을 가졌다. 까칠한 듯 보이지만 진국인 여자들. 영등포역 뒤편에 우리가 자주 가던 '똥꼬집'(똥집과 오돌뼈를 팔던 곳, 딱히 이름이 없이 그냥 포장마차)에서 '밴댕이'를 창단하고 매월 회비를 모아 생일축하를 하고 여행도 갔다. 이십 년이 지나는 사이, 서른넷의 내가 가장 빨리 결혼했고 서른아홉에 SL언니가, 마흔하나에 BH가 결혼했다. 또한, 마흔넷인 NH는 연애를 하고 있고 마흔여섯, 여전히 결혼 생각이 없는 NS여사와 ES언니가 있다.

각자가 사는 방식이 달라 서운했던 적도 있었고 그로 인해 싸우던 날도, 부둥켜안고 울던 날도 있었다. 서로를 이해 못해 다시는 안 만날 것처럼 굴던 시절도, 이 모임을 계속해야 하나 진지한 생각이 들던 날도 있었다. 먼저 결혼한 내가 아이를 낳고 키우며 이해받지 못했던 시간도 지나왔다. 그러나 또 한 친구가 결혼하고 아이를 낳으면서 나를 조금씩 이해해 주더니 같은 상황에 놓인 또 다른 친구가 내 마음을 알아주기 시작했다. 그렇게 우리는 나이를 먹어감에 따라 서운했고, 아쉬웠고, 미웠던 마음들을 보듬게 되었다. 흰머리의 수를 세며 누가 노안이 빨리 왔는지 농담도 하고 요새 원효로 집값이 천정부지라는 얘기, 이 나이에 아이를 갖는 일이 쉽지 않다는 얘기, 더는 남자에겐 관심이 없다는 얘기가 오간다. 여전히 하고 있는 웹디자인 일을 더는 못하겠다는 그녀들이 이제 더는 밉지 않다. 더는 나와 달라 보이지 않는다.

그녀들이 내게 서운했던 때, 내가 그로 인해 가슴이 답답하던 그때 글을 썼더라면 조금 더 빨리 서로를 이해하고 조금 더 자주 만나지 않았을까? 서울에 사는 그녀들과 수원에 사는 나의 거리는 마음의 거리보다 가까웠을 터. 멀리 가버렸던 마음이 하나둘 제자리를 찾아왔다. 인생이란 것이 특별히 슬플 것도, 억울할 것도 없다는 생각이 들게 된 건 글을 쓰면서부터였을까. 3월엔 S여사와 내 생일이 있다. 월회비에서 생일자는 15만 원씩을 받는다. 그리고 각자 주고 싶은 선물이나 원하는 선물을 보낸다. 나는 책을 좋아하지만 보통 책 사는 일은 내 돈을 내어 사게 되지 않는다. 도서관이면 오케이던 내가 밑줄 긋는 재미에 빠져 누군가 무얼 사줄까, 하고 물으면 한 치의 망설임도 없이 그간 마음에 담아두었던 책 리스트를 하나씩 꺼낸다. 그렇게 나는 이번 내 생일에 네 권의 책을 받았다. 그리고 도서관에서 빌려 읽으며 좋았던 책 두 권을 NS여사네 집으로 온라인 배송을 시켰다. 망원에서 NS여사를 만나 생일 선물로 책을 사주려고 근처 독립책방을 찾았지만 문은 굳게 닫혀 있었다.

두 시간을 들여 그녀들을 만나러 가는 길이 늘 즐겁지만은 않았던 건 사실이다. 가고 오는 네 시간 동안 만원 지하철을 타는 것을 그다지 즐기지 않았던 탓이다. 가기 전에 집에서 해둘 것과 다녀와서 챙겨야 할 것들이 모두 귀찮고 힘들던 시기가 분명 있었다. 아이가 초등학교 4학년이 되니 그녀들을 만나러 가는 지하철 안이 코로나로 인해 인파가 줄어 앉아 있을 수 있다는 것만으로도 좋았다. 게다가 책을 마음껏 읽을 수 있는 시간이 주어지는 것도 좋았고, 오랜만에 가는 망원동 거리에 새로 생겨난 작고 귀여운 가게를 보는 재미도 있었다. 마음에 여유가 조금은 생겼기에 가능한 일이었다.

사주고 싶은 책이 있어 찾아간 독립책방이 문을 닫았어도 괜찮았다. 돌아 나오는 길에 만난 먹음직스러운 치킨을 보는 재미가 있었고, 깨끗하게 정돈된 망원동 시장의 끝없이 긴 통로를 지나는 길이 즐거웠다. 맛있는 떡집이라며 취향별로 떡을 사도 만원이면 됐고, 귤이 두 소쿠리에 오천 원밖에 안 하는 시장 물가도 마음에 들었다. 작은 게들을 매콤하게 튀겨 파는 튀김집 앞에서 시식하는 재미, 족발이며 보쌈을 파는 음식점의 트랜디한 간판 앞에서 포장 주문한 음식이 나오길 기다리는 동안 카페에서 900원짜리 커피를 받아 들고는 대학생 마냥 신이나 홀짝이는 내 모습을 느끼는 모든 순간이 좋았다. 커피맛을 보고는 NS여사와 SL언니, 내가 한꺼번에 웃던 시간도 좋았다. 역시 900원짜리 커피라며 결국 다 마시지는 못했지만 다양한 재미가 있는 멀고 먼 망원동이 참 마음에 들었다.

호기심이 많고 새로운 것에 도전하길 좋아하는 내가 적은 돈으로 만날 수 있는 세상이 눈앞에 펼쳐짐이 행복했다. 호박 마차가 호박으로 변하기 전에 실컷 눈에 담고 마음으로 즐기고 싶었다. 그렇게 이곳저곳에서 포장한 음식을 몇 봉지씩 담아 들고 망원동, 엘리베이터가 없는 5층 S여사네 가는 길이 멀게 느껴지지 않았다. 향긋한 오일 향이 매끄럽고 뜨끈한 바닥에서 폴폴 피어오르고 있었다. 먼저 도착해 장을 본 그녀들과 나는 상차림을 했다. 나머지 세 명을 기다리며 족발, 보쌈, 싱싱한 회, 낚지 탕탕이, 매콤한 작은 게 튀김, 황태껍데기 튀긴 것, 각종 떡과 닭발에 오돌뼈, 그리고 야채들. 요새 맛있는 맥주라며 꺼내온 OB맥주. 블랙 화요까지.

모두가 모여 벌겋게 오른 수다 꽃을 피우자니 다시 예전으로 돌아간 것 마냥 익숙했다. 일 년에 한두 번 보는 친구. 왕복 4시간 거리를 오지 않는 내게 서운해하던 그녀들과 그 거리가 멀게만 느껴지던 내가 마흔 중반을 넘어 만나는 일. 자주 보지 못해도 이제는 더 이상 서운하지 않다는 사실이 감사했다. 그렇게 나이 먹어감이 좋은 날이었다. 집에서 키우던 화초도 그렇잖나. 해가 잠시 숨어있는 순간 꽃들이 시들해지는 것처럼, 그녀들과의 믿음 또한 꾸준히 가꿔가야 시들지 않는다는 걸 이제는 아는 나이가 된 것이다.

잊지 못하던 순간들이 잊지 못할 순간으로 변해가고 있던 날. 오랜만에 술잔을 부딪치며 하하 호호 낄낄 깔깔. 수다 보따리를 풀던 날.
비 내리던 날, 마음에 비가 걷히던 날.
"우리 조금은 더 자주 봐도 괜찮을 것 같아."

서른아홉의 여름

"대상포진입니다. 많이 아팠을 텐데. 수포는 없는데 신경을 타고 와서 병원에 입원하면서 치료를 받아야 해요."

"아, 저 지금 되게 바쁜 시긴데요. 이번 달에 끝내야 할 프로젝트가 있어서 입원은 안 될 것 같아요."

"이게 신경 타고 오면 죽을 수도 있어요. 상태도 안 좋아 보이는데 회사에 얘길 하고 입원하도록 해요."

"제가 지금 급한 업무를 처리해야 해서요. 그냥 약 처방만 해주세요. 입원은 힘들어요."

"약을 먹으면 졸리거나 어지러울 수 있어요. 독한 약이에요. 그만큼 지금 많이 아픈 거고요. 고집을 부리니 어쩔 수 없이 처방하지만, 중간에라도 심해지면 바로 입원해요."

"네."

서른아홉의 여름. 나는 많이 아팠다. 왼쪽 눈은 퉁퉁 부어 실핏줄이 다 터지고 왼쪽 눈 위부터 귀 뒤, 어깨로 스치기만 해도 전기 충격을 받은 것처럼 찌릿찌릿했다. 왼쪽으로는 고개를 돌릴 수도 없는 상태로 열이 펄펄 끓기도 했다. 인생 전반을 봤을 때는 참 설렁설렁 살아가는 것처럼 보이는데 조금 들여다보면 은근히 독한 구석이 있는 나다. 눈물이 나면 머리가 깨질 지경인데 밤새 일을 하며 아파서 울었다. 독하다는 약을 입에 털어놓고 있으면 정신이 몽롱해지는 게 눈을 뜨고 있어도 초점이 없어졌다.

그때 난 서울에 있는 모 대학교 홈페이지 디자인을 하고 있었다. 데드라인이 얼마 남지 않아 회사에서 점심 먹는 일을 제하고는 옆 사람과 작은 수다조차도 떨 시간이 없었다. 그러고도 모자라 일거리를 바리바리 싸 들고 집으로 돌아와 아이가 잠들면 다시 일을 시작했다. 메인 디자이너라는 자부심이 있었다. 기한은 코앞이고 몸은 따라주지 않아 심장이 터질 것 같았다. 호흡이 멈추는 순간이 자주 찾아왔다. 프리랜서로 육아와 일을 병행하다 집에서 멀지 않은 곳에 재취업해 제대로 된 디자인이란 걸 좀 해보자 하던 참이었다. 공공기관 디자인은 단가는 높았지만, 이력서에는 괜찮은 곳에서 일했다는 한 줄

빼곤 디자이너로 자랑할 만한 게 못됐다. 작업한 결과물을 밖으로 가지고 나올 수 없는 구조기도 했다.(특히 농협이나 삼성 같은 곳이 그랬다.) 에이전시의 경우 일은 고되도 내 아이디어가 그대로 반영돼 마음에 드는 디자인을 뽑아내기에 좋은 곳이라 선택했다. 그러나 이곳은 인력이 부족하고 체계가 없다 보니 해도 해도 일이 줄지 않았다. 하나의 프로젝트가 끝나기도 전에 다른 프로젝트가 겹쳐지는 구조였다. 그야말로 숨 쉴 틈도 없이 죽어라 일만 해야 하는 상황에 놓였다. 보통의 웹디자이너는 디자인 업무 외에 코딩, 기획도 기본으로 할 줄 알아야 한다. 그러니 내가 분신술을 하는 손오공도 아니고 몸 하나로 할 수 있는 일이란 게 빤했다.

그런 일들로 스트레스와의 체력전에서 내가 진 모양이었다. 아프던 첫날, 조퇴라는 걸 하고 병원에 갔을 때 들은 얘기가 "이거 죽을 수도 있어요."였다. 약을 먹으면 졸음이 쏟아지고 몽롱해지다가 속이 한 바탕 뒤집어졌다. 화장실이라도 가려고 일어서면 어지러워 책상 한 구석을 잡아야 했던 그때의 내 어깨엔 나 아니면 안 될 것 같다는 책임감이 눌려 있었다. 그렇게 일주일을 시름시름 거리며 데드라인을 맞췄고, 디자인 시안이 예쁘게 나왔다는 대학 측의 반응도 전해 들었다. 그곳에서는 6개월쯤 일을 했다. 매번 그런 패턴으로 일을 하려니 이력서에 프로젝트는 다양하게 쌓여가는데 이러다가 정말 머지않아

죽을 수도 있겠단 생각이 들었다.

그 무렵, 주말을 이용해 속초 어머님 댁에 내려갔다. 대상포진 처방전은 추가로 받아 계속 복용하고 있었다. 약을 입안에 털어놓고 나면 금세 세상이 빙글빙글 돌았다. 무엇 때문에 놓지 못했을까? 다섯 살 밖에 안 된 아이가 엄마 없이 어떻게 클까 두려워지기 시작했다. 나는 예나 지금이나 칼 같은 완벽주의자는 못 된다. 남들이 봤을 땐 잘도 취업하고 쉬이 때려치우는 사람으로 보일 게 빤했다. 설렁설렁 살아가는 이미지 때문에 붙잡고 있었던 거다. 나는 특별히 심각하게 일을 하는 편은 아니다. 될 수 있으면 즐기면서, 재미있게 하지만 나름대로 내 것에 대한 자부심이 있었다.

인생이 뜻대로 되지 않는 때는 무언가 몰입하고 있을 때 찾아오는 법이다. 이 길을 계속 가야 할지 나를 선택해야 할지. 서른아홉의 난 그 길에 또 들어섰다. 죽을 수도 있다고 하지 않나. 데드라인은 넘겼고 결과도 괜찮았다면 이제 나를 선택할 시간이다. 짧은 기간 다녔던 회사에 사표를 던져야겠다고 생각했다. '월요일 출근하며 말해야지, 화요일은 꼭 말해야지.' 그렇게 일주일을 또 다른 일에 매여 흘려보내다 '번쩍' 정신이 들었다. 대상포진은 또 온다. 면역체계가 온전치 못하면 이번엔 실려 갈 수도 있다. 욕심을 버리자. 아직 죽기엔 이르지 않은가. 일주일을 꽉 채우고 나서야 대표님에게 퇴사 의사를 밝혔다. 그는 그만두는 이유를 물었고 나는 그간 있었던 일을 짧게 전하고 주말을 보내고는 출근을 하지 않았다. 그리고 병원에 가서 한 시간 맘 편하게 누워 희망처럼 노란 수액을 맞았다. 한숨 잘까 싶어 눈을 감았는데 눈물이 멈추지 않고 흘렀다.

'나 이러다가 죽으면 어떻게 하지?'

서른아홉의 여름을 호되게 보내고 나니 일상의 작은 시간이 소중하게 다가왔다. 내 앞에 가만히 앉아 〈해리포터〉에 심취한 아이의 표정을 보는 일보다 행복한 건 없을 것이다. 그런 평범한 날의 소소한 행복이 오랫동안 길게 가면 좋겠다.

주홍글씨

회복하는 데 서너 달이 걸렸던 출산 후의 과정. 더는 아이를 갖고 싶지 않았다. 예쁜 아이 하나 키우며 우리끼리 알콩달콩 잘 살아보자던 남편과 유전자가 99% 흡사한 아이를 키우고 있으니 날 닮은 딸도 하나 있으면 싶었다. 둘이 아끼고 예뻐할 모습이 눈에 선했다. 나이 서른아홉. 아이가 다섯 살 무렵 둘째가 찾아왔다. 하지만 유치원을 마친 아이와 산책한다고 아파트 옆길을 길게 빙- 둘러 걸어오던 길에 하혈했다. 그리고 몇 주 되지 않아 뱃속 아이의 심장이 멎었다. 수술 후 눈을 떴을 땐 메스껍던 속도, 무겁던 몸도 모두 아무 일 없던 듯 예전처럼 돌아가 있었다. 자리를 훌훌 털고 일어났다. 나를 위로하려던 남편의 움직임을 제지하고 쿨한 척 조용히 묻어두기로 했다. 흐르는 눈물을 주체할 수 없던 수많은 날, 혼자 눈이 붓곤 했다. 마흔하나. 아이가 일곱 살 때.

"둘째는 분명 여자아이야. 이름을 유림이라고 짓자. 고유한(맑을 유, 큰 나무 한), 고유림(맑을 유, 수풀 림) 어때?"

아이가 와 주었다는 사실을 알게 된 그 순간, 아니 그전부터 아이 이름은 고유림이었다.

수원 A 병원.

유한이 때도 A 병원에서 출산했고 유산 때도 같은 부원장님이 처치해 주셨기에 유림이를 임신하고 다시 찾은 날,

"음, 목 투명대가 너무 두꺼운데 혹시 모르니 검사받아 봅시다."

혈액 채취만으로도 90% 이상은 알 수 있다고 했다. 혈액을 채취하고 며칠 뒤 병원을 찾았다.

"결과가 좋지 않아요. 이건 누구 탓도 아니고 확률적으로 일어나는 일이라 원인도 알 수 없어요. 한주라도 빠를 때 하는 게 산모한테 더 좋아요. 늦어질수록 아이도 힘들고 엄마도 힘들어요. 운이 좋아 살아서 나와도 얼마 못 버텨요."

그렇게 유림이를 한 주 더 뱃속에 품고 서초동에 유명한 N 병원으로 융모막 검사를 받으러 갔다. A 병원 부원장님을 신뢰할 수 없어서가 아니라 내게 일어나는 일 자체를 믿을 수가 없어서였다.

병원을 찾기 전, 인터넷을 뒤지며 비슷한 경험을 했던 산모들의 이

야기를 찾아 읽었다. 기형아 검사에서 결과가 나빴는데 믿음을 가지고 출산했더니 건강한 아이가 나왔더라. 병원의 얘길 듣고 수술을 했다면 평생 후회하며 살았을 거고 지금은 건강하게 출산한 아이와 행복하게 잘 살고 있다는 글을 읽었다. 어떤 이는 건강하지 못한 아이를 태어나게 하는 일은 두고두고 가족과 자신, 그리고 아이에게도 못할 짓이니 할 수 있을 때 좋은 선택을 하는 것이 서로가 사는 길이라고 했다. 날이 새도록 비슷한 사례들을 읽고 또 찾아 읽었다. 잔뜩 겁을 먹고 검사실에 들어가 융모막 검사를 받았다. 뱃속 아이를 생각하면 기다란 바늘이 아랫배를 찌르는 것쯤은 참을 만했다.

"목 투명대가 너무 두껍네요. 자세한 결과는 나와봐야 알겠지만 좋아 보이지 않아요."

검사 후 일주일쯤 지났을 때, 아파트 놀이터에서 아이 노는 모습을 보고 있다가 병원에서 걸려온 전화를 받았다. 서류를 보냈으니 확인해 보라는 내용이었다. 옆에 서 있던 지인이 어떻게 됐느냐며 묻는데 하염없이 눈물만 흘러내렸다.

염색체 이상.

에드워드 증후군(정상적이라면 2개이어야 할 18번 염색체가 3개가 되어 발

생하는 선천적 기형 증후군) 약 8,000명 당 1명의 빈도로 발생하며 여아에서 3~4배 정도 더 많이 발생한다. 이런 염색체 이상으로 인해, 여러 장기의 기형 및 정신 지체 장애가 생기며, 대부분 출생 후 10주 이내 사망. 근본적인 치료는 없으며, 각 장기의 기형에 대해 각각 치료를 해야 한다. 만약 산전에 일찍 발견되었으면 의학적으로는 인공유산을 고려할 수 있다.

수술이 가능하다는 16주를 한참이나 넘기고 난 뒤였다. 아이를 출산해서 보내야 하는 상황. 한 시간 단위로 흰 알약을 삼킬 때마다 독약이 배 속에 스며들었다. 세상 밖으로 나오면 안 되는 아이가 죽어갔다. 배가 찢어질 듯 뒤틀렸다. 몇 시간을 그렇게 방 안에서 화장실을 오가며 위 속에 있는 모든 것들을 비워내고 있었다. 언제쯤 내 뱃속 아이의 심장이 멎었는지 알 수 없다. 12개의 흰 알약을 모두 삼키고서야 양수가 터졌다.

'퍽'

남편이 화장실에 가고 없는 사이, '빨간색 비상 버튼을 눌러야 한다. 간호사가 와야 지금의 상황을 해결해 준다.' 지옥문으로 가는 붉은 벨을 눌렀더니 간호사가 들어왔다.

"어머님, 천천히 걸어서 화장실로 들어가 볼일 보듯 앉았다가 아래는 보지 말고 그냥 나오셔야 해요."

'울컥'

큰 덩어리 하나가 내게서 쏟아져 내렸다. 시키는 대로 바로 화장실 문을 열고 밖으로 나왔다.

"조금 불편하실 수 있어요. 참을 수 있으세요?"
"아니요. 아프지 않게 해주세요."
후 조치를 받고 얼마나 지났을까.
"눈 떠 보세요. 끝났어요. 걸으실 수 있으세요?"

아무것도 묻지 않았다. 여자아이였는지 결과처럼 에드워드 증후군이었는지… 어떤 것도 물을 수가 없었다.

2017년 5월 3일. 그렇게 유림이는 16주가 넘도록 내게 머물다가 하루아침에 사라져버렸다. 나머지 조치를 받고 우윳빛 값비싼 영양제 주사를 맞았다. 힘든 일을 겪었으니 가장 좋은 영양분을 넣어줘야 한다고 했다. 병원에서 하루를 보내고 남편과 함께 지옥문을 열고 현실로 돌아온 날이 2017년 5월 4일. 어린이날 전날이었다. 친정에서 하룻밤을 자면서 아이가 그렇게나 울었다고 했다. 그 울음이 나를 보며 또 한 번 터졌다. 미안했다. 보낸 아이에게도 내 옆에 있는 아이에게도. 어린이날은 어린이를 위한 날인데……. 담당 선생님의 꽉 찬 스케줄에 그날이 진료가 적은 날이었다. 기가 막히게도 5월 4일. 아이들이 즐거워야 할 날, 나는 두 아이를 슬프게 했다. 그렇게 된 이유는 마흔이 넘은 내게 있다고들 했다. 아이를 보내며 삼켰던 독약 같은 흰 알약처럼 무수히 많은 날 죽음을 삼키며 버텼다. 눈꺼풀을 꼭 닫고 두 눈을 어둠 속에 가둬 버렸다.

이따금 아이가 묻곤 한다. "내 동생은 왜 죽은 거야? 아파서 죽은 거야?" 매년 꼭 한 번씩 그렇게 묻곤 한다. 내 가슴에 묻은 그 아이를 남아 있는 아이가 묻는다. 그렇게 마음으로 울며 가슴에 묻어둔 아이가 있다.

행복의 기준은 최대한 낮게 잡아 두고
내게 일어나는 나쁜 일들의 기준은
최대한 높게 잡자.
행복의 그물코는 작은 기쁨이라도 놓치지 않도록
최대한 촘촘하게 만들고 불행의 그물코는
웬만한 것쯤은 다 빠져나가도록 크고 넓게 만들 것.

정희재_<아무것도 하지 않을 권리>

내 뜻대로 안 되는 게 있다는 사실을 깨닫는 독한 시간이었다. 옆집 엄마들과의 수다도 재미없고 그저 살아가는 시간들이 허비하듯 흘러가 버리는 것만 같았다. 왜 남들처럼 사는 그 평범한 일상이 내겐 허락되지 않는 걸까? 어딘가에 신은 분명 있다고 믿었는데 신이 내게 이루고자 하는 다른 뜻이 있어 이리도 끝없이 방황하게 하는 것인가. 자만하며 살았던가. 남에게 손가락질 받을 만한 일을 했던가. 왜 나에게 이런 올가미가 씌워지는 걸까. 수없이 되뇌고 많은 밤 뒤척이며 혼자서 피눈물을 흘리던 빨간 밤. 내 편은 아무도 없었고 나를 다독이고 챙겨줄 사람은 오직 나뿐이라는 사실을 깨닫는 아픈 시간이었다. 누군가는 나를 '있어 보이는 사람'(미술관과 도서관을 좋아하면 그런 사람)이라고 꼬아서 말하던 그 시점에 나는 모든 쓰기를 멈추고 매일 밤 감사의 하루를 마감하던 것을 더는 하지 않기로 했다. 그렇게 '주홍 글씨'가 낙인찍힌 채, 사람들을 피해 혼자만의 '케렌시아'에 들어가 3년이란 침묵의 시간을 보냈다.

나는 어떤 사람이었던 걸까? 아이는 성장하는데 계속 이렇게 움츠리고 살아야 하는 걸까? 세상 밖은 어땠지? 내 주위엔 아무도 남지 않았어. 다시 환한 빛을 쪼일 수 있을까? 아무도 없는 어둡고 컴컴한 무서운 늪에서 빠져나오고 싶었다.

어차피 삶은 내 뜻대로 흐르지 않아

아이의 몸 상태가 좋지 않았다. 명절, 속초에 내려가 산행을 하고 올라오는 길에 차가 막혀 5시간 넘게 차 안에 있었다. 하는 게 없다고는 해도 아이는 방학 동안 아침나절 삼십 분씩 화상 영어를 하고, 한 시 반에 피아노 학원에 갔다가 합기도 수업을 마치고 집으로 돌아오면 네 시 반이 됐다.

나의 아이는 생각 주머니가 아주 크다. 무언가 새롭게 도전하기 위해선 많은 시간이 필요했다. 피아노도 초등 2학년 여름방학이 끝나고 개학하면서 시작했고, 그 흔한 태권도도 설득이 되지 않았다. 무조건 시키는 건 내 방식이 아니라 아이의 의견을 최대한 반영해 의사결정을 했다. 합기도는 초등 3학년 겨울방학이 끝나갈 즈음 시작했다가 코로나 때문에 몇 달 나가지 못 하고 그만뒀다. 화상영어는 4학년 봄에 외국어에 관심이 늘면서 시작했다.

아이가 하고 싶다고 얘기할 때까지 기다려주는 것이 옳은 것이라고 알고 있지만 그게 어디 쉬운 일인가. 내 방식대로 아이를 키우고 있다면서 마음이 조급해질 때가 주기적으로 찾아왔다. 요즘은 유치원 때부터 아이의 진로를 결정하고 학교를 결정하는 모든 권한을 부모가 가지고 시작한다는데 아이를 그렇게 키우고 싶지는 않았다. 내가 낳았지만 자기 의사가 있는 한 인격체라고 생각하기 때문이다. 아이들은 우리가 생각하는 것 이상의 수준 높은 논리를 가지고 있다. 그런 아이의 존재 자체를 인정해주면서 함께 커야 건강한 방향으로 나아갈 수 있다고 생각한다.

그런 아이가 기운이 없고 자꾸 배가 아픈 것 같다며 학원을 하루 쉬고 싶다고 한 날이 있었다. 특별한 일이 아니면 꾸준히는 하는 편이라 결석이 없었는데 그날은 그렇게나 힘들어했다. 명절을 보내고 난 후, 일정이 버거웠던 건 아닌지 아이와 이야기를 나눴다. 특별히 열이 있거나 하진 않았는데 자꾸 배가 아프다니 신경이 쓰였다. 어른들도 하기 싫은 일을 하거나 긴장이 되면 화장실을 자주 간다거나 하지 않나. 오전에 30분 화상 영어를 제외하고 그날은 각 학원 원장님께 자초지종을 이야기하고 일정을 모두 뺐다.

종일 기운 없이 늘어져 있던 아이가 탈이 난건 그다음 날이었다. 밤 열 시쯤, 시차를 두지 않고 계속 화장실을 오가며 설사를 했다. 가족이 같은 음식을 먹었던 터라 음식의 문제라 생각지는 않았고, 과도한 일정 탓에 '과민성 대장 증후군'이 찾아온 건 아닌가 싶어 마음이 무거웠다. 눕지 못할 정도로 뜬눈으로 밤을 새우며 화장실을 오가던 아이의 설사는 멈출 기미를 보이지 않았다. 오전 아홉 시, 잠 한숨 못 잔 퀭한 눈으로 아이를 데리고 병원으로 향했다. 노로바이러스 장염. 친정 부모님과 우리 부부를 힘들게 했던 그 노로바이러스 장염이 아이에게 옮겨간 것이었다.

전날 낮에 머랭 쿠키를 구워달라던 아이의 바람대로 흰자위만 골라내 반죽을 하고 세 차례에 걸쳐 설탕을 넣고 단단하고 쫀쫀해진 머랭 반죽을 만들었다. 숟가락으로 쓱 떠서 한 입, 또 쓱 떠서 두 입. 익히지 않은 흰자위가 화근이 되었을까? 아이만은 피해 갈 줄 알았던 노로바이러스. 아이도 예외는 없었다. 결국, 삼일 치 약을 처방받고 죽을 사서 집으로 돌아오니 불현듯 새벽에 적지 못한 100일 글쓰기가 기억났다. 모닝페이지도 적지 못했다. 나는 보통 새벽에 일어나면 그날의 기운을 만들어주는 모닝페이지를 먼저 적는다. 모닝페이지는 보통 노트 2페이지를 채우는데 그 안에 남겨지는 글들은 모두 의식의 흐름을 자연스레 열어주는 역할을 한다. 모닝페이지가 끝나면 떠오르는 주제로 글쓰기를 하는데 그걸 100일 동안 하자고 이름을 100일 글쓰기로 붙여 실행하고 있었다. 새벽 4시면 어김없이 의자에 앉아 그날 떠오른 주제로 글을 적었던 것이 얼마 전에도 일이 있어 하루를 건너뛰었는데 아이가 아팠던 날도 역시 쓰는 일은 할 수가 없었다.

인생에서 내가 계획한 일들이 얼마나 내 뜻대로 이루어졌을까? 아이가 생긴 이후론 아이보다 먼저인 것은 내겐 단 하나도 존재하지 않았다. 그렇게 주변을 두루 살피면 하고자 하는 일에 속도가 더디게 나타날 수밖에 없다는 걸 나도 잘 안다. 나는 독하거나 강하지 못하다. 그렇기에 문학이나 예술의 언저리에 산다. 하지만 괜찮지 않을까? 어차피 아이가 아니어도 삶은 내 뜻대로 흐르지 않는 법이니까.

혹여라도 일정이 부담스러워 배가 아픈 것은 아닐까 걱정하던 것이 노로바이러스 장염으로 판명된 건 어쩌면 다행스러운 일일지도 모른다. 하기 싫은 걸 억지로 시켜가며 아이가 좋아서 흠뻑 빠져 있는 것으로부터 자유를 앗아가고 싶지는 않으니까.

병원에 다녀와 죽을 먹고 난 아이는 괜찮아진 것 같다며 계획대로 '독산성 세마대지'에 가자고 졸라댔다. 회복력이 그저 부러울 따름이다. 아이가 원하던 대로 산책코스 같던 그곳엘 다녀왔고 이른 새벽은 아니지만 100일 글쓰기도 빼먹지 않고 썼다. 순서가 바뀌면 좀 어떤가. 세상에서 가장 중요한 건 내 옆에 가장 빛나게 반짝이고 있는 아이인걸.

어차피 삶은 내 뜻대로 흐르지 않는다. 그렇다면 두루두루 살펴보며 사는 것도 괜찮지 않을까?

지금은 내 삶의 여백일까

안개가 가득 깔린 호수. 그린과 옐로의 따뜻함이 아련한 기억처럼 다가오는 그림 한 점이 있다. 흐릿한 섬의 잘려나간 부분이 내 기억 같은 그림. 흐릿한 기억은 잘린 섬의 그림자로 잔상처럼 남는다. 멀어진 시간은 진한 블루를 남기지 않는다. 멀리 옅어진 블루와 시선 가까이 있는 그린과 옐로의 경계가 모호해진다. 기억은 그렇게 모호한 경계의 잔상만을 남기는 게 아닐까.

'구스타프 클림트'의 그림 중 가장 좋아하는 그림이 두 점 있는데 하나는 〈여성의 세 시기〉라는 그림이고, 또 한 점은 그의 유일한 플라토닉 사랑이었던 에밀리 플뢰게와 함께 눈부신 여름날의 시간을 담은 〈아터제 호수의 섬〉이다. 그의 수많은 화려한 금박 그림 중 〈여성의 세 시기〉는 내가 임신하고 출산을 하며 그제서야 다시 보게 된 그림으로 삶과 죽음, 잉태가 고스란히 담긴 작품이다. 우리 집에도 엄마와 아이를 확대한 상태로 한 점 걸려있다. 〈아터제 호수의 섬〉이 좋은 이유는 영화 〈안경〉을 좋아하는 이유와 비슷하다. 자극이 없다. 그림을 보며 생각할 여유를 주기 때문이다. 흐르지 않아도 괜찮다고 말해주는 것 같다. 글 쓰는 걸 지독히도 싫어하고 여성편력도 심했던 클림트가 400통이 넘는 편지를 보낼 정도로 의지했던 여인이 있었다. 그 여인이 바로 에밀리 플뢰게. 이 작품에선 에밀리 플뢰게와 함께 한 시간이 고스란히 드러난다.

아이를 키우며 일을 멈췄던 때는 내 삶의 여백이었을까? 아니면 무언가 밀어내고 다시 채우는 시기였을까?

어쩌면 내게 꼭 필요한 시간이었는지도 모르겠다. 꽉꽉 채워진 삶을 살다가 찾아온 여백의 시간. 선택과 집중의 시간. 클림트가 아침 여섯 시부터 산책하며 건강관리에 신경 썼던 아티제 호수에서의 시간처럼 나만의 루틴을 만들고 밀어낼 것과 채울 것을 구분하던 시기. 멈춘 듯 보이지만 끊임없이 속으로 변화되던 시기. 여백인 듯싶지만 채우고 있었을 시간. 남들의 시선이 아닌 오롯이 내 시선으로, 내 선택으로 시작한 삶. 그 선택함에 행운이 깃들기를. *박효신의 〈굿바이〉*를 들으며.

자기 밖으로 나가는 감을 잃은 건 아닌지

휴대폰에 저장되어 있기를 '아름다운 분'.

온화한 인상이 주는 우아하고 차분한 느낌, 그분이 살아온 인생이 그랬을까? 그분과는 도슨트와 도슨트 담당 미술관 직원으로 처음 만났다. 그분의 번호를 입력하며 내 휴대폰에 '아름다운 분'이라고 저장해 두었다. 어느 날 그분은 수원에 있는 미술관 몇 군데에 전시코디네이터 채용 공고가 올라왔으니 지원해보는 게 어떻겠냐는 연락을 해왔다. 평소 열정을 가득 품고 무언가를 계속 도전하고 있던 내게 그분은 "선생님의 열정을 제가 잘 알기에 연락드려요. 두루 살펴보고 원하는 곳에 지원서를 넣어보세요."라고 말씀하셨다. 원하던 분야의 일은 아니었지만, 일부러 생각해서 연락 주신 그 마음이 참 감사했다.

저녁에 퇴근한 남편은 글을 쓰고 있던 내게 평소 운이 좋은 편이니 운을 한 번 실험해 보라고 했다.

"이거 되면 당신 진짜 운은 타고난 거야. 다들 하려고 지원자들이 넘쳐나잖아. 한 번 해보지 그래?"

"그…그럴까? 이거 돈도 안 되고 임시직인데……."

움츠러든 마음엔 모든 이유가 핑계였다. 지원서 마감일까지는 하루 반나절이 남은 상황. 알려준 곳의 리스트들을 살펴보고 집에서 가장 가까운 곳 한 군데를 정하고 아이가 잠든 시각에 일어나 오랜만에 자기소개서를 작성했다. 다운로드한 양식에 맞춰 두 장을 넘기지 않게 그간 내가 어떤 일을 했고, 앞으로의 포부는 어떠하며 열심히 할 수 있을 것이라는 다짐을 적었다. 진실한 마음은 단 한 줄도 들어가 있지 않은 형식적인 자기소개서였다. 그리곤 필요하다는 서류를 몇 개 더 준비하고 나서야 잠자리에 들었다.

다음날, 테이블 위에 올려진 서류를 살펴보던 남편이 '파이팅'이라며 아침 인사를 건네고 출근했다. 그런 일은 눈앞에서 빨리 해치우는 편이 속 편했다. 달랑달랑 서류를 들고 들어가니 담당자가 나와 서류를 살폈다.

"어, 선생님 주민등록 등본이 안 보이네요? 수원 거주자임이 확인

되어야 해요. 그리고 경력 부분은 해당 경력만 인정됩니다. 필요한 서류 부분 다시 한 번 읽어보셔야 할 것 같아요."

"아, 네. 그럼 제가 다시 한 번 읽어보고 준비해서 가지고 올게요."

발그스름해진 얼굴을 마스크가 가려주니 다행스러운 시간이었다. 그렇게 차로 15분 거리 집으로 돌아와 주민등록 등본과 수정된 경력 증명서를 출력한 뒤 다시 미술관으로 갔다.

"서류는 이렇게 주시면 될 것 같습니다. 서류 합격하시면 문자로 연락이 갈 거예요. 수고하셨습니다."

"네 알겠습니다."

내키지 않는 일엔 꼭 실수가 있기 마련이다.

며칠 후, '**1차 서류 전형에 합격하셨습니다. 축하드립니다.**' 합격 문자와 전화를 받으며 없던 마음이 조금씩 생겨났다. 가끔 들여다보던 인터넷 카페를 뒤적이며 이 일이 얼마나 중요한 일인지 알게 되었다. 대학원을 졸업하고 '준학예사' 시험을 보고, '학예사' 시험을 봐놓고도 뽑히기 어려운 자리였다. 치열한 경쟁률 탓에 합격이 되지 않아 도대체 어디서 경력을 쌓아야 하느냐고 속상함을 털어놓는 젊은 친구들의 글이 빼곡하게 적혀 있었다. 내 의지와는 관계없이 그저 합격의 당위성을 찾고자 살피던 시간 속에서 자만심이 스모그처럼 피어올랐다.

면접은 서류 합격 통지를 받고 일주일 뒤에 있었다. 그저 면접 따위 별 관심 없어 보이는 내게 남편은 면접 준비를 해야 하는 것 아니냐, 자기소개서에 무슨 내용을 썼는지는 기억하고 가야 하는 게 맞지 않겠느냐, 나를 답답한 시선으로 바라보며 충고를 아끼지 않았다. 마음이야 어찌 되었든 깔끔하게 가야 한다는 생각에 세미 정장 차림에 롱코트를 걸치고 화장은 조금 더 어려 보이도록 신경 쓰고 발목까지 오는 검정 부츠를 꺼내 신었다. 자기소개서 내용이야 내가 썼으니 기억하고 있고 질문도 뻔하지 싶어 편한 마음으로 그곳을 다시 찾았다.

그런데 웬걸? 문을 열고 들어가기 전부터 이건 내가 생각했던 분위기가 아니었다. 대기자들은 미리 와 앉아 있었고 그 인원은 나를 포함 10명이나 되었다. 달랑 1명 뽑는 자리에 서류 전형에 10명이나 합격을 시키다니 생각지 못한 상황이었다. 경력이 상당할 거라 예상되는, 연배가 있는 세 분을 제외하고는 모두 어린 친구들이었다. 면접에 걸맞은 차림의 맨 마지막 대기자에게 시선이 갔다. 평범한 치마 정장에 3센치 정도의 구두, 뒤로 한 갈래 깔끔하게 묶은 머리, 얌전하게 스카프를 두르고 있어 평범하지만 면접장에 가장 이상적인 차림의 대기자였다.

각자에게 내어주는 서류에 맞게 간단한 신상들을 적고 있으려니 1번부터 면접이 시작되었다. 나는 5번 목걸이를 하고 앞의 지원자들이 하나둘 나오는 걸 지켜보고 있었다. 추워서였는지, 긴장했던 탓인지 손이 차가워지기 시작했다. 양손을 최대한 꼭 붙잡고 있는 동안 어느새 내 차례가 왔다. 안면 있는 분들이 보이자 모른 척 고개를 숙이고 지나가려는데 기어코 인사를 건넸다. “선생님 파이팅!” 나는 그 인사를 외면하지 못하고 고개를 연신 끄덕거리며 눈웃음을 지어 보였다. 면접장 앞에 서 있으려니 내가 여기서 뭐 하는 건가 싶은 생각이 들었다.

내 차례에 면접실 문을 열고 들어가니, 넓은 공간 맨 앞에 남자 세 분이 앉아 있었고 그 앞에 내 자리가 마련되어 있었다. 자기소개와 소통에 관한 것, 민원이 들어왔을 경우의 대처에 대한 질문에 간단하게 답하고 앉아 있으려니 두 분의 표정이 무뚝뚝해 보였다. 그렇게 “네. 다 끝났습니다.” 신호를 듣고 면접실을 나왔다. 서류를 담당하던 분이 “좋은 결과 있으실 거예요.” 하고 다정한 인사를 보내주셨지만 주차 처리를 확인하고 집으로 돌아오는 차 안에서 예감했다.

'떨어졌구나.'

퇴근한 남편은 이번에도 잘 될 것 같다며 기다려보라고 했다. 내가 어떤 식으로 이번 일을 대했는지는 불합격 메시지를 받고 며칠이 지나 답답한 마음에 꺼내 읽던 책에서 깨달음을 얻게 되었다. 합격은 예상한 대로 마지막에 앉아 있던 그 평범한 치마 정장 차림의 지원자가 되었다. 사람의 보는 눈은 어쩌면 비슷한 것이 아닐까. 이번 일을 통해 내가 얻은 깨달음은 당락에 대한 문제가 아니었다.

떨어짐이 속상하고 창피하단 단순한 생각이 아니었다. 어떤 일을 대하는 나의 태도에 대해 옳지 못했단 판단이 들었다. 인사. 문을 열고 들어가 의자에 앉기 전에 보통 인사를 해야 하는데 그것을 생략했다. 면접관이 물어오는 질문에 귀찮다는 듯 짧은 대답을 한 건 그다지 마음이 없었다 치고, 면접이 끝난 시점에 앉아서든, 자리에서 일어나서든 인사하는 것을 잊었다.

"안녕하세요. 누구누구입니다."
"지금까지 들어주셔서 감사합니다."

이런 기본적인 인사를 잊은 것이 시간이 흐른 지금까지도 내게 불편한 마음을 갖게 한다. 일부러 챙겨주셨던 '아름다운 분'께도 죄송스러운 마음이 두고두고 남았다.

“선생님, 저 면접에서 떨어졌어요. 생각해 주셔서 감사했습니다.”
“아깝게 떨어진 것 같아요. 다음에 기회가 또 생길 거예요.”

면접 점수가 가장 낮았다고 해도 할 말이 없는데 위로가 되라며 얹어주신 말씀에 마음이 더 불편했다. 어딘가에 소속되지 않으리라 마음을 먹었지만, 사람과 사람 간에 만남은 계속 있을 터.

그런 식으로 인생을 사는 것은 옳지 못한 일이었다. 싫은 것은 하지 말든가, 하게 된다면 최선은 다하고 기본은 꼭 지킬 것을 나와 약속했다. 다른 사람에게도 그렇지만 자신에게 이런 시간은 일부러 잃을 것을 찾는 어리석은 행동이 되고 말았다. 마음이 있다 한들 기본에 충실하지 못하면 합격해도 언젠간 그런 일로 불편함을 겪게 될 것이다. 이번 일은 전에 없던 자만심에서(어쩌면 종종 품었을지도 모르는) 일어난 일이었으니 기본은 지키면서 사는 인간부터 되도록 해야겠다.

아이가 잠든 까만 밤, 많은 일이 스쳐 지나갔다. 나는 어쩌면 아이를 키우며 자기 밖으로 나가는 감을 잃은 건 아닌지. 이 밤에 나를 위로하는 건 조성진이 연주하는 리스트의 〈콩솔라시옹(위안)〉 피아노곡.

일어난 일을 어떻게 다루는가에 따라 행복은 달라질 수 있다

아이가 생기고 안정기에 접어들며 시작한 '임산부 요가'. 무리하지 않는 선에서 마음이 평온해지는 음악을 들으며 천천히 몸을 '릴랙스' 할 시간이 내겐 필요했다. 회사 생활하며 선택했던 그 시간에 나는 좋은 에너지를 가진 사람을 만났다. 나처럼 웹디자이너의 삶을 살다가 요가 지도자의 삶을 선택한, 마음이 참 따뜻한 동갑내기 선생님이었다. 요가 수업이 모두 끝나고 그녀에게 〈인생수업〉이라는 책을 건넸다. 마음을 차분히 가라앉히는 방법을 여럿 찾고 있던 차에 읽고는 누군가에게 선물할 일이 생기면 꼭 이 책을 주고 싶었다.

〈인생수업〉이라는 책에는 나 자신으로 존재하기, 최악의 상황에서 인간은 더 많은 성장을 경험한다는 것. 조건이 가장 나쁜 때 내가 가진 최상의 것을 발견한다는 것, 일어난 일을 어떻게 다루는가에 따라 행복이 달라질 수 있다는 이야기 등이 적혀있었다. 오랫동안 마음을 다지느라 읽고 또 읽었던 좋은 기억의 책을 요가 마지막 날 그녀에게 선물했다.

우리는 선생님과 제자를 떠나 친구로 따로 만났다. 카카오 스토리에 육아 글을 한창 적고 있을 때, 그녀도 내 친구 목록에 있었다. 내가 올린 글에 그녀는 늘 긍정의 댓글을 달아주었다. 지금 그녀는 그때와는 차원이 다른, 요가 선생님을 가르치는 유명한 요가 마스터가 되어 있다. 함께 수업해볼 수 없는 경지에 이른 그녀의 소식이 궁금해진다.

명상은 단순히 생각하는 것이 아니라 내게 일어나는 생각들을 그저 알아차리고 지켜보는 것이다. 요가는 내가 알고 있는 명상 중에 가장 좋은 방법이었다. 일하느라 태교란 걸 따로 해본 적이 없던 때에 유일한 태교가 '임산부 요가'였다. 그때 받았던 마음의 안정, 깊은 울림이 느껴지는 명상 음악, 코끝에 전해져 오던 페퍼민트나 라벤더 향, 그리고 요가 시작 전에 들었던 긍정과 감사의 말 속에서 불필요한 마음을 알아차릴 수 있었다.

요가는 차분한 목소리를 들으며 시작한다. 어떤 이들은 그 차분함과 쓰지 않던 경직된 근육의 움직임 때문에 요가가 답답하다고 한다. 나는 반대로 그 고요함과 천천히 움직여 골고루 쓰는 근육의 움직임을 느끼는 게 참 좋았다. 내 몸 구석구석을 알아가게 되는 느낌이랄까. 꾸준한 하루가 모여 내 몸과 마음의 마디마디가 곧고 바르게 만들어져가면서 열리는 긍정의 사고들을 마주하는 시간이었다. 어떻게 인간의 몸이란 게 움직일수록 경험하지 못한 동작을 해낼까 싶어 더욱 열심히 다니게 되었다. 그렇게 요가에 빠져들었다.

요가를 할 때 내게 중요하게 와닿던 첫 번째는 음악이었다. 요가가 끝나고 나면 꼭 그 음악이 어떤 것이었는지를 묻곤 집에 오면서 그곡을 찾아 들었다. 세상에는 내가 모르는 제3세계 음악이 너무도 많았다. 새로운 것을 알아가는 것에 벅참을 느끼며 산다. 문학과 미술, 음악이 없다면 인생이 얼마나 지루할까.

아이가 초등학생이 되던 해, 아침 시간을 잘 활용해 보자는 취지로 매일 같이 요가와 필라테스를 병행했다. 삼 개월쯤 되자 피부가 맑아지고 살도 빠지며 푸석거리던 머릿결도 한결 윤이 났다. 내가 그렇게나 착실한 삶을 살았던 건 아니라고 생각했는데 그때를 더듬거리다 보니 뭐든 시작하면 참 열심히 했던 사람이었구나 싶다. 요가도 빠짐

없이 다녔다. 무언가를 배울 수 있다는 게 좋았고 온몸 가득 그것들이 고스란히 내게 가져오는 경험도 참 충만하게 느껴졌다.

요가 선생님들은 하나같이 예쁜 몸매와 예쁜 얼굴을 하고 있어서 참 좋다. 나는 예쁜 사람을 좋아한다. 그게 정형화된 어떤 세상의 기준에서의 예쁨보다는 마음의 태도가 얼굴에 고스란히 묻어나기에 그 사람이 쓰는 말, 표정들이 다정하면 세상의 안경 너머의 시각으로 바라보게 된다. 여자의 적은 여자라고들 하는데 난 예쁜 여자의 아군이 되고 싶다.

트라우마 극복하기

내겐 여전히 숨 막히게 무서운 장면과 장소가 있다. 삼켜 버릴 것 같은 무한한 우주. 층층이 깊어지는 바닷속의 끝없는 프러시안블루. MRI 검사. 끝나지 않을 것 같은 푸른 깊이와 몸을 가누기 힘든 좁은 공간에서 호흡이 느려진다. 초등학교 2, 3학년쯤 기억이다. 네 살 터울 막내가 미술 학원에 다니고 있었다. 엄마 대신 막내를 데리러 갔는데 심심하면 그림 그리고 있으라는 원장님의 친절에 동생이 끝나는 시간까지 그림을 그릴 수 있었다. 그런데 내 그림을 본 원장님이 엄마에게 전화를 거신 모양이었다. 그때의 분위기상으론 학원을 보낼 수 없다는 내용이었던 것 같다. 나는 그때 학교에서 걸스카우트를 하고 있었다. 평범한 가정에 딸이 셋이면 욕심나는 대로 여러 개의 학원을 모두 다닐 수는 없다.

원장님은 내게 말했다.

"너 동생이랑 학원 같이 다녀 볼래? 그림 그리는 거 재미있지? 그림을 참 잘 그리네."

"그냥 다녀도 돼요?"

"그래, 동생이랑 같이 와서 그림 그리고 가."

그렇게 여름방학 내내 막냇동생과 함께 공짜로 미술 학원을 오갔다. 하루는 미술 학원에서 단체로 야외 수영장에 놀러 간다는 거다. 부모님께 허락을 받고 수영장 나들이에 나섰다. 수영을 할 줄도, 배운 적도 없었지만 그때는 마냥 신이 났었다. 한여름 무더위를 날려버릴 수 있는 절호의 기회였으니까. 튜브를 가지고 동생과 놀다가 잠깐 튜브를 빼고 가슴 정도 높이의 물속에 서 있던 순간. 누군가 물속에서 내 발을 깊이 끌어당겼다. 물 밖으로 나올라치면 머리를 눌러 숨을 쉴 수 없었다. 목구멍으로 흘러들어오는 물이 숨통을 조여왔다. 그렇게 한참을 허우적거리다 누군가에 의해 동공이 풀려가던 순간.

나를 누르던 무게가 가벼워졌다. 자유의 몸이 된 나는 연신 기도로 흘러 들어간 매운 물을 뱉어내며 울음을 터뜨렸다. 미친 듯 울어 버렸다. 세상이 다 떠나가라 목청 높여 토해냈다. 발을 끌어당기고 머리를 물속 깊숙이 넣었던 사람은 미술 학원 원장님이었다. 친절함으로 위장한채 무료로 미술 학원까지 다니게 해준 원장님이 내 인생의 악마로 변하던 순간이었다. 퉁퉁한 몸에 검은 피부, 볼과 귀밑까지 내려온 덥수룩한 구레나룻, 당황한 기색이 역력한 검은 돼지 형상을 한 악마가 나를 바라보고 있었다. 사람이 싫어지는 건 한순간이다.

울면서 돌아온 나를 보고 엄마는 학원에 전화했고, 그 이후로 동생과 나는 더는 미술 학원에 나가지 않았다. 그날 그 사건이 내 인생의 호흡에 영향을 주게 될 줄은 꿈에도 몰랐다. 바닷속 사진, 우주의 광활함을 슬쩍 보기만 해도 숨이 막혀왔다. 성인이 되어서는 MRI를 찍는 내내 내가 이러다가 죽겠구나 싶을 정도로 호흡이 힘들어지는 걸 느꼈다. 검은 돼지 형상을 한 악마가 공짜로 내게 선물한 그것은 '폐소공포증'이었다.

[폐소공포증(閉所恐怖症, Claustrophobia)은 공포증의 일종으로, 닫히거나 좁은 공간 어두운 장소에 있을때 극도의 공포를 느끼는 증상]

엘리베이터 안이나 어두운 공간에서는 별문제가 되지 않는다. 간혹 비행기를 탈 때 비행기 밖에서 내려다본 내가 갇힌 공간을 느낄 때 가슴이 답답해져 온다. 그럴 땐 여행을 떠나는 좋은 기분으로 극복할 수 있다. MRI는 약을 먹으면 된다. 하지만 물과 우주의 깊이는 여전히 힘든 부분이다. 그런 내가 수영에 도전한 것은 내 인생 최고의 용기가 아니었나 싶다. 극복하고 싶을 만큼 힘든 일이 있기도 했지만, 아이가 크면서 물놀이는 피할 수 없는 운명과도 같았기 때문이다. 매번 물 밖에서 아이를 바라보기만 할 수도 없고 물놀이를 가봐야 재미라는 것을 눈곱만큼도 느끼지 못하니 혼자 노는 아이가 늘 짠하게만 느껴졌다.

2019년 작은 수영장에 수강 신청을 했다. 죽이 되든 밥이 되든 해보고 안되면 그만두자는 마음으로 갔다. 내게는 '영끌(영혼까지 끌어 모으다)'의 결정이었다. 수영 강사님께 자초지종을 설명하고 아주 천천히 물과 친숙할 수 있게만 해달라고 부탁했다. 무릎 정도 깊이, 어린이용 공간에서 강사님의 지시대로만 일주일을 연습했다. 그리고 1.2m 깊이의 기초반으로 옮겨졌다. 킥 판을 잡고 몸을 띄우니 내 몸이 풍선처럼 떠올랐다. 그저 내 생명줄은 강사님께 있으니 무조건 따랐다. 그렇게 일주일이 한 달이 되고, 한 달이 두 달이 되어가면서 특별한 일이 있을 때를 제하고는 수영에만 집중했다. 무조건 열심히 임했다.

가장 첫 번째는 물을 좋아하는 아이와 수영장에 가서 물놀이를 하고 싶었고, 두 번째는 물의 공포증을 이겨내고 싶었다. 세 번째는 집중할 곳이 필요했다. 수영에 재미를 붙인 지 5개월 만에 강사님이 처음으로 칭찬해 주셨다. 열심히 하는 자세가 좋다며 다들 보는 앞에서 물과 친해지려면 나처럼 무조건 빠지지 말고 나와서 물과 시간을 보내야 한다고 했다. 그랬다. 나는 걸어서 왕복 한 시간 거리의 수영장을 다녔다. 2019년에 시작한 수영은 코로나가 시작되기 전까지 꾸준했다. 지금은 수영장을 가지 못해 안달이 나 있으니 물 앞에서 두려움에 떨던 나는 누구였나 싶다.

칸트는 매일 새벽 다섯 시에 일어나 오후 세 시 반이면 산책을 했다. 동네 사람들은 칸트가 지나가는 것을 보고 시간을 알았을 정도라고 한다. 반복의 장인이다. 그런 칸트가 딱 한 번 산책하지 못한 날이 있었는데, 그날은 장자크 루소의 〈에밀〉을 읽는데 정신이 팔려 있던 날이었다. 나는 반복을 견디지 못하는 사람이었다. 호기심이 많고 늘 새롭고 흥미로운 것을 찾는 걸 좋아하는 사람이었다. 그런 내가 매일 같은 시간에 왕복 한 시간씩 걸어서 수영장에 다녔던 건 쉬운 일이 아니었을지도 모른다.

간절했다. 그만큼 절실했기 때문에 가능했다. 절실함은 반복을 만들고 반복은 습관이 된다. 그렇게 얻어진 습관은 다른데도 적용된다. 수영을 시작하고는 매일 같은 시각 무언가를 하는 것에 지루함이 없어졌다. 내가 차곡차곡 쌓아져 다름을 만들어 갈 수 있다는 것에 행복감을 느끼기까지 했다. 매일 같은 시각 일어나 글을 쓰는 일도 무라카미 하루키가 마라톤을 하는 이유와 비슷하지 싶다.

나는 물의 무서움에서 벗어났다. 단지 깊은 바닷속과 우주의 광활함 앞에선 여전히 심장이 무거워지지만 괜찮다. 시간이 걸리더라도 하나씩 차근차근 극복해 나갈 생각이다. 수영은 또 다른 내 모습을 찾게 해주었고 단단한 나를 만들어 주었다. 초등 시절, 내 발목을 잡았던 미술학원 원장님이 아니었다면 내가 이렇게 열심히 수영을 배울 수 있었을까? 나의 도전에 긍정의 마음을 담아본다. 나는 한 번뿐인 이 삶을 건강하게 잘 살아내고 싶으니까.

여전히
살아 있는 불꽃

포기하지 않는 의지만 있다면

내리던 비가 그치고 맑은 하늘이 세상을 가을로 물들이던 날, 그러니까 몹시도 화창한 가을날. 한창 프랑스 이야기에 목마르던 9년 전을 떠올린다. 아이가 두 살이던 때, 인생의 세 번째 대학 이야기를 내 기억의 서랍장에서 꺼내어본다.

'한국방송통신대학' 불어불문학과 3학년. 학비는 저렴한데 혼자 공부하는 일이 생각보다 쉽지 않아 주위에선 들어가긴 쉬워도 졸업하기가 어렵다고들 했다. 별로 상관없었다. 나는 어떤 경우에도 절실해야 일을 저지르는 타입이고, 저지른 일에 대해선 내 나름의 기준으로 열심히 했으니까. 혼자 하는 일도 아주 재미있게 하는 편이다. 아니, 혼자 깊이 몰두하는 일에 더 즐거움을 느끼는 편이라고 해야 맞을 것 같다. 인생이란 것도 어차피 내가 살아가야 할 길이지 않나.

혀에 부드럽게 감기는 솜사탕 같은 프랑스어를 잊는 게 아쉬웠다. 대학원에서 미술사나 불문학을 전공하고 싶었지만, 현실의 여건이란 게 그리 여유롭지 못했다. 프리랜서로 몇 군데 웹디자인 프로젝트를 하고 있던 터라 한 학기 사십만 원가량의 돈은 혼자서도 충분히 마련할 수 있었다. 3학년으로의 편입, 총 4학기 백육십만 원이면 원하는 공부를 할 수 있었다. 졸업 논문이 남아있어 많은 학생이 논문에서 중단하는 경우도 있다는 얘기를 들어 논문을 대체할 방법을 찾았다. 알아보니 적정수준의 프랑스어 자격증을 취득하면 논문이 자동 패스된다고 했다. 프랑스에서 3년을 살았지만, 유학을 다녀온 지 어언 10년. 강산이 빠르게 변하는 시간보다 내 뇌의 노화 속도가 치매 수준으로 떨어지고 있던 때, 나는 자격증 취득을 위한 공부를 해야 했다. 시험에 출제되는 문제를 유형별로 묶어서 공부한 지 3개월 만에, 한강 근처 어느 중학교에 근 이십만 원가량의 응시비를 내고 시험을 봤다. 원어민과의 대화, 듣기, 읽기, 쓰기, 총 네 개의 과정을 수행해 정해놓은 수준 이상의 점수를 받아야 자격증이 발급됐다.

자격증은 프랑스 교육부 산하 기관인 'France Education International'에서 발급되는데 만점 수준으로 합격하고 자격증을 받아

기분이 참 좋았다. 그때는 몰랐다. 내가 아주 작은 도전을 놓아버리지 않고 실천하고 있었다는 사실을 말이다. 돌이켜 생각해 보니 작은 성취를 통한 내면의 성장을 경험하고 있었다.

그땐 아이가 아침잠과 낮잠을 꼬박꼬박 자던 때라 아이 자는 시간을 이용해 공부하는 게 가능했다. 아이가 아침잠을 자기 시작하면 나는 니스 해변이 끝없이 펼쳐진 페이지에 시선을 고정하고 프랑스어 문장들을 집어삼키곤 했다. 두 번 다시 가고 싶지 않을 줄로만 알았던 프랑스라는 나라의 언어가 무척이나 그리웠다. 2012년, 여름으로 가는 6월에 떠오른 건 하늘이 잔뜩 흐린 날의 니스 해변이었다. 대학 동기 두 명과 거닐던 곳. 호텔 주변에 딱히 주전부리를 살 곳이 없던 곳. 그곳에서 우리는 기름기가 쫙 빠진, 말라빠진 통닭 한 마리와 마녀가 만들어냈을 법한 새빨갛게 번쩍이는 사과를 샀다. 그날은 동기 중 한 명의 생일이었는데 사과에 나무젓가락을 초 대신에 꽂아 놓고 뭐가 그리 재미있었는지 배꼽이 빠져라 웃으며 생일 축하 노래를 불렀다.

"생일 축하합니다. 생일 축하합니다. 사랑하는 S 언니 생일 축하합니다. 하하하."

"하하, 하하하."

"이 사과 진짜 맛있지 않니? 이거 독사과 아니야? 치킨도 빨리 뜯어 봐."

"우리 셋이 대학 때 생각나? 이 언니 맨 뒤에서 찢어진 청바지 입고 세상 불만 다 짊어지고 있었잖아. 학기 초반엔 학교도 자주 안 나왔는데 우린 그런 언니가 너무 멋있어 보였고. 서로 먼저 가서 말 걸어 보라고 했었잖아. 하하."

"너 프랑스에서 공부 안 했으면 우리가 이렇게 진정 여행다운 여행을 할 수 있었겠냐? 네 덕에 현지 가이드 데리고 프랑스 여행도 한다."

"난 당신들 덕에 이렇게 니스 여행도 할 수 있고 내가 고맙지. 프랑스에 살면서 파리만 있다가 갈 뻔했잖아."

좁디좁은 침대에 셋이 걸터앉아 사과를 나눠 먹고 말라빠진 치킨을 떼어 나누던 그때가 세상 행복한 기억으로 남아있다. 인생이란 일상의 놓치고 싶지 않은 순간들이 모여 마치 꿈인 듯 재편집되어 이루어지는 한 편의 영화가 아닐까? 공부하자고 선택한 순간에 따뜻하고 좋은 기억들이 피어올랐다. 포기하지 않는 의지만 있다면 반드시 기적은 일어난다. 내가 어떤 기적을 바라고 있는 건지 잘은 모르겠지만 어떤 순간에도 삶을 놓고 싶지 않은 마음이다.

남편과 아이가 꼭 같은 네이비색 말 무늬가 그려진 노란 폴로 티를 입고 시험장에 가는 나와 동행했던 날. 엄마 시험 잘 보라고 한없이 맑게 웃어주던 아이와 내가 시험에 집중하는 동안 아이와 놀아주며 주말을 보낸 남편 덕분에 만점을 받을 수 있었다. 두 남자가 잠든 틈을 타 밤새워 공부하고 갔던 날의 컨디션이 나쁘지 않았다. 동기들과의 좋은 기억 덕분이었을까? 노란색의 두 남자가 희망처럼 내 눈앞에 나비가 되어 팔랑거린 덕일까? 그날은 모든 과목에서 만점을 받았던 날이었다.

한 번은 1교시 시험 답안을 2교시에 마킹하고 나온 날이 있었다. 학교 측에서 전화가 걸려 왔다. 점수가 나쁘지 않았던 것인지, 의례적으로 있던 일인지 신분증을 지참하고 와서 확인 서명을 하면 된다고 했다. 비가 억수로 퍼붓던 날 아이를 잠시 엄마에게 부탁하고 학교엘 찾아갔다. 한 시간을 자고 꼭두새벽에 가서 정신이 없었던 날 치른 시험이었다. 주관식 번역에 철학자 비교 분석까지 아침 1교시에 시작한 시험은 오후 7시가 되어서야 끝이 났다. c'est de la chance, 나는 운이 좋은 사람이다.

인생을 살다 보면 수많은 핑계와 부족한 시간이 길을 가로막곤 한다. 터널처럼 긴 인생의 구간을 수없이 반복해 견디며 살아야 한다. 더 이상 시간이 부족하다는 핑계 따윈 하지 않을 거다. 조금 다르게 사는 걸 가지고 유별나다고 하는 사람도 있겠지만 태어남이 다 같지 않을 텐데 다르면 좀 어떤가. 모두가 똑같은 옷차림에 똑같은 머리 모양을 하고 그 삶의 방식까지 같아지라고 배우고 자란 시간을 깨면서 사는 일이 쉽지 않겠지만 잘 살아 낼 거다. 어떤 순간의 내 모습도 꼭 안아줄 거다. 간절하던 순간을 떠올리며 살아갈 거다. 풍랑은 항상 능력 있는 항해사의 편이라고 하지 않나.

9년 전 불타오르던 학구열의 기억을 떠올리며, 배우고자 하는 열망이 사라지지 않기를 바랄 뿐이다. 그 끈을 놓는 순간 사람은 늙기 시작한다. 여전히 배움의 욕구가 가득한 나는 아직 젊지 않은가. 잘 물든 단풍은 봄꽃보다 아름다워질 수 있다. 이건 법륜 스님이 깨달음을 얻은 후에 알려주신 얘기라 마음에 새겨 두고 있다. 참 좋은 말이다. 지금도 내겐 무수히 많은 터널의 구간이 남아 있으리라.

지금 걷는 이 길이 머지않아 내 꿈길이 되어주길

“엄마, 나 ‘훈데르트바서’ 전시 가보고 싶어. 예술의 전당에서 열린대.”

“그래? 그게 누군데?”

“색채의 마법사래. 오스트리아 색채의 마법사.”

“그래, 엄마가 찾아볼게.”

2017년, 아이가 일곱 살이던 때 방에서 TV 광고를 보던 아이가 다급하게 뛰어와 내게 건네던 말이었다. 훈데르트바서를 찾아보니 클림트, 에곤 쉴레와 함께 오스트리아 3대 화가 중 한 명이었다. 스페인에 가우디가 있다면 오스트리아에는 훈데르트바서가 있다고 할 만큼 유명했고 화가이기 전에 자연과 건축이 함께 공존할 수 있는 방법에 대해 힘써온 건축가였다. 가장 대표적으로 옥상정원, 게릴라 정원, 수직 정원 등의 시초를 만들었다.

예술의 전당 한가람 미술관 티켓을 예매해두고 아이와 함께 전시장을 찾았다. 그가 품었던 자연에의 사랑과 전시장에 들리는 잔잔한 빗소리가 형형색색의 작품들과 어우러진 전시였다. 아이는 늘 그렇듯 준비한 필기도구를 꺼내 들고 그때의 느낌을 글이나 그림으로 노트에 남겼다. 나는 아이가 그리고 쓰는 어떤 행위에도 제재를 가하지 않는다. 뛰지 않는 예절과 큰 소리로 말하지 않는 기본 정도만 가르쳤고 외출할 땐 꼭 필기도구나 색연필, 사인펜 등을 챙기는 걸 알려주었을 뿐이다. 관람의 기본이 잡힌 아이와의 동행은 늘 편안했다. 전시가 끝나면 작지만 기념이 될 만한 굿즈나 만들기를 할 수 있는 재료들을 사 주곤 했다. 나는 '훈데르트바서' 도록 한 권을 샀다. 그것이 내 인생에 어떠한 영향을 주게 될는지 그땐 몰랐다.

프랑스에는 박물관이 많다. 그곳에서는 예술을 전공하는 학생들에 한해 '아트 패스'가 제공됐다. 이 아트패스는 미술관, 박물관 등을 무료 관람할 수 있는 카드다. 현재 우리나라에도 '예술인 카드'라는 이름으로 예술 활동이 증명되면 카드를 받을 수 있는 것으로 안다. 루브르 박물관엔 나이가 지긋한 '도슨트' 분들이 계셨다. 늘 북

새통을 이루는 박물관에서 머리가 희끗한 도슨트 한 분이 굉장히 매력 있게 다가왔었다. 왜 그런 거 있지 않나. 왕가위 감독의 영화에 자주 등장하는 '스텝 프린팅'(스텝 프린팅은 저속촬영 후 필름의 특정한 부분을 복사해 붙이는 방법으로 피사체의 비현실적인 움직임을 만들어내는 영화 기법)기법으로 보이는 순간.

'나도 근사하게 나이 들고 싶다.'

아이 초등 1학년 땐 아이를 쫓아다니느라 정신없이 바빴다. 국립현대미술관(첫 단추의 인연), 서울시립미술관을 마음에 두고는 있었지만, 수원에서 서울까지 수업을 들으러 갈 여력이 되지 않았다. 아이가 초등 2학년이 되고서야 내 존재에 대해 다시 생각할 수 있었다. 그림을 좋아하는 아이를 위해 멋진 도슨트가 되기로 했다. 최소한의 동선에서 누구 하나 피해 없이 시작하고 싶었기에 집에서 가장 가까운 수원시립미술관을 선택했다. 도슨트 선발 과정에서 내가 선택한 작품은 아이가 좋아하는 '훈데르트바서'의 작품 두 점이었다. 전시장을 찾던 때를 떠올리며 도슨트로의 지원 동기와 스크립트를 작성해 아이 앞에서 시연하고 어려운 단어를 알기 쉽게 고쳐 쓴 후 수차례 녹음을 했다. 예전엔 중학교 2학년 눈높이에 맞추어 작품 설명을 했지만, 요즘은 초등학교 2학년만 돼도 수준이 생각보다 높다. 코로나가 막 시작되던 때라 작품 설명은 비대면으로 진행됐다. 떨리는 목소리로 작품 설명을 하고 질의응답을 거쳐 운 좋게 합격했다.

2019년 양성과정을 거치고 선발 시험에 합격해 2020년부터 도슨트로 한 발 딛게 되는 계획이었는데 코로나가 터졌다. 나의 첫 번째 전시해설은 우리나라 신 사실파(김환기·유영국·장욱진·백영수·이중섭)의 한 분이었던 백영수 선생님 전시였다. 수원 출생으로 주로 프랑스에서 활동했기에 한국에는 그리 알려지지 않은 분이었다. 그러나 전시설명 준비로 스크립트만 열심히 작성했을 뿐, 전시해설이 오픈되지 않았다.

두 번째는 수원 시립아트스페이스 광교의 '그것은 무엇을 밝히나 전'으로, 이곳에서는 전 세계 재미있는 작가들의 작품을 만날 수 있었다. 자료가 미미한 작가들의 히스토리를 구글링하며 스크립트를 작성하던 흥미로운 시간이었다. 평소엔 아이 잠들기 전에 동화책을 읽어주곤 했는데 그땐 내 코가 석 자라 밤마다 동화책 대신 전시자료를 읽어주곤 했다. 아이는 내 옆에서 세계의 작가들 얘기를 들으며 잠이 들었고 그들에 대한 정보를 나보다 훨씬 빠른 속도로 습득했다.

코로나로 전시 관람객이 많지는 않았지만, 내 이야기에 끄덕거려주는 분들도 계셨고 질문을 하던 아이들도 있었다. 특히, 어린 친구들의 이야기를 들으며 색다른 즐거움을 느꼈다. 회사 생활할 때는 발표 자료를 수도 없이 만들어 직원들 앞에서 얘기할 일이 많았다. 하지만 아이를 키우며 작아진 나 자신을 사람들 앞에 다시 세우는 일은 생각보다 쉽지 않았다. 전시 활동 교육을 받고 스크립트 작성도 해보건만 설명하다 내용을 잊어버리게 될까 봐 조마조마했다. 사람들 앞에 서면 입이 바짝 마르고 심장이 타들어 가는 것만 같았다.

세 번째 전시는 '내 나니 여자라' 전으로 코로나가 잠시 괜찮아진 틈을 타 전시해설을 했다. 이 전시는 혜경궁 홍씨의 〈한중록〉을 매개로 진행된 전시로 '태어나 보니 여자였더라.'에서 알 수 있듯 조선 시대를 살았던 그녀의 한 많은 삶에 대한 이야기를 담은 전시였다. 전시장 초입을 웅장하게 채우고 있던 작품의 주인공은 다름 아닌, 중학교 때 미술을 가르치시던 장혜홍 선생님이었다. 선생님은 섬유예술 분야에선 국내외적으로 독보적인 존재감을 가지고 계셨다. 그렇게 오랜만에 섬유예술가와 도슨트가 되어 선생님과 제자가 다시 만나기도 했다.

50대를 전후해 책을 쓰고 강연의 목표가 있던 나로서는 사람들 앞에 서는 일을 두려워해선 안 됐다. 다양한 경험이 필요했다. 무조건 많이 서고 많이 말해봐야 두려움도 떨칠 텐데 코로나로 인해 많은 경험을 해보지 못한 게 못내 아쉬웠다. 하지만 전시해설이 무산되며 주어진 시간을 남은 시간이라 생각하지 않았다. 한 권이라도 더 읽고 쓰다 보면 더욱 깊이 있는 사람으로 거듭날 수 있을 거란 막연한 생각을 품었다. 지금 걷는 이 길이 머지않아 내 꿈길이 되어줄 거라는 당돌한 확신을 가졌다.

도슨트, 내 책, 강연, 아틀리에, 2024

2024년까지 이루고 싶은 목표를 잘 보이는 곳에 적어두고 각인시켰다. 글 쓰는 작가로의 길에 들어섰을 때 다시 그림을 그릴 생각이다. 나는 아티스트로 살아갈 날을 꿈꾼다. 적다 보니 나도 다 계획이 있었구나.

축구 선수 '박지성'은 늘 이렇게 말했다고 한다. "나는 한다."
그래서, "나도 한다."

우연은 인연이 되어

'기회는 항상 강렬하다. 언제나 미끼를 던져 놓으라. 텅 빈 것 같은 연못에서 조차 고기가 잡힐 것이다.'

_오비디우스

"선생님, 우리 도서관에서 미술 강의 부탁해요."

"정말요? 교안 준비해서 보내드리면 될까요?"

"네. 선생님."

수원시립미술관에서 진행하던 '49일간 아티스트로 사는 법'에 참여하며 알게 된 I 작가님(열 권의 책을 낸 작가이자 화성에 있는 작은 도서관 관장님)이 블로그에 올라온 내 글에 댓글을 달았다. 좋은 기회였다. 나 역시 아이들과 미술수업을 진행해 보고 싶었으니 말이다. 그동안은 아이가 아직 어려 깊이 담아둔 마음이었다. 아이가 중학생이 되면 손이 덜 갈 테니 그때나 생각해 봐야지 막연하게 품었던 꿈 하나를 실행에 옮길 기회가 생겼다. 나는 아이와 함께하는 시간이 참 좋다. 특히 끄적이고 만드는 시간 속에서 행복함은 배가 되곤 했다. 아이와 재미있게 노는 걸 알던 지인들이 "언니 학원 언제 오픈해요? 우리 J도 언니 학원에 보내고 싶어요."라고 물어오곤 했다. 내겐 학원을 오픈할 경제적 여력이 없었다. 그렇다고 집에서 시작할 마음의 여유도 갖지 못했다. 그저 막연한 계획이었다. 아이가 어리다는 핑계로.

화성에 있는 작은 도서관에서의 첫 수업 내용은 지구를 살리는데 크게 앞장섰던 환경 운동가이자 화가, 건축가로 유명한 오스트리아의 '훈데르트바서'였다. 때마침 그의 재단에서 만든 동화책이 한국에 막 입고된 때였다. 나에게 좋은 인연을 계속해서 만들어주고 있는 '훈데르트바서'의 이야기로 교안을 만들었다. 고작 스물일곱 페이지를 만드는 데 꼬박 일주일이나 걸렸다. USB에 작업 파일을 넣고 남편과 아이와 함께 찾아간 작은 도서관. 그곳에서 아이들과 함께 하얀 도화지에 색을 입혀가는 일이 참 즐거웠다. 책을 읽어주고, 아이들과 대화를 나누고, 그림을 그리는 걸 지켜보는 일에 가슴이 뛰는 걸 느꼈다. 무엇이든 될 가능성이 무궁무진한 아이들과 두 시간을 함께했다. 당근과 채찍을 아는 남편은 나의 첫 번째 미술 강의를 축하한다며 근처에 있는 근사한 레스토랑에 데리고 갔다. 스테이크보다 육회가 맛있던 레스토랑에서 그날 번 강의료 보다 더 큰 지출을 했다. 배보다 배꼽이 커도 괜찮단다. 성과를 이루었을 땐 긍정의 보상이 따라야 제대로 동기부여가 된다며, 자신과는 조금 다른 나를 잘 조련하는 남편과 엄마 옆에서 묵묵히 도와주는 아이가 있어 꿈으로의 한 발이 가능했다.

요새는 좋아하는 작가의 동화책을 선택해 프랑스어로 조금씩 번역해둔다. 언어 습득의 순서와 음악 습득 순서가 비슷하다는 글을 어디선가 본 적이 있다. 귀에 들리는 소리를 그대로 모방해 말하는 순서를 거치면 문자를 익히고 쓰게 된다. 내가 아이들과 해보고 싶은 미술놀이는 일방적으로 가르치는 방식이 아닌, 함께 하는 방식이다. 언어 자극과 음악 자극을 주면서 가지고 태어난 천재성을 마음껏 발휘해 보는 시간을 주고 싶은 거다.

기회는 뜻밖의 곳에서 또 주어졌다. 우연히 시작한 수원문화재단 지원 활동으로 알게 된 수원시의 작은 도서관 관장님께 지나는 말로 프랑스 아동 미술수업이 가능하다고 했다. 지나가는 말로 전한 터라 큰 기대를 하지 않고 있었는데 며칠 후 관장님으로부터 연락이 왔다.

"선생님, 저희 미술수업 넣을 건데 언제 시간 되세요? 어떤 책으로 수업하실 건가요? 미리 준비하려고요."

기쁜 마음을 안고 관장님께 '안에르보'라는 벨기에 작가의 동화책 몇 권을 알려드렸다. 올해는 하늘에서 쏟아진 많은 기회를 마무리하는 중이라 더 이상의 계획을 넣지 못했다. 대신 내년 3월에 수업을 몇 차례 진행하기로 관장님과 약속하고 대략의 내용을 전달했다. 희미한 커튼 사이로 보이던 꿈들이 하나둘 내게 품어져 오고 있음을 느꼈다.

평생 한 가지 일만 하면서 살고 싶지 않았다. 내가 가진 색을 모두 풀어 도화지에 칠해 볼 순 없지만 적어도 작은 꿈들은 이루며 살고 싶었다. 미술놀이 선생님, 작가, 화가의 꿈이라면 모두 이루며 살 수 있지 않을까? 곧은 길을 수 없이 에둘러 살아왔다. 가슴 뛰는 삶을 살고 싶어서. 모두 이루어지면 신통방통 감사한 일이 될 테고, 그중 하나라도 이룬다면 또 감사할 일이고 꿈과는 다르게 간다 해도 무언가를 끊임없이 하고 있는 것이니 그 또한 감사할 일이겠다. 글은 쓰고 있으니 작은 아틀리에 운영하는 일과 화가가 남은 건가?

미루고 있던 작은 꿈 하나가 우연히도 발현되던 감사한 시절 나의 이야기.

나의 내일은 아직 온다

'천천히 삶을 즐기라. 너무 빨리 달리면 경치만 놓치는 것이 아니라, 어디로 가는지, 왜 가는지 하는 의식까지 놓치게 된다.'

_에디 캔터

나는 기본적으로 에너지가 그리 많은 편이 아니다. 저녁에 아이 재우며 잠들고 새벽에 조금 일찍 일어나는 습관 이외에 특별히 넘치는 에너지를 가지고 있지 않다. 식지 않은 꿈이 있다는 건 다행이지만 늘 깨어있어야 한다는 건 어찌 보면 참 피곤한 일이기도 하다. 평생에 걸쳐 글쓰기를 한다는 건 나와 가장 친하게 지내는 방법이겠고, 반면 치열한 싸움이 될 수도 있을 거다. 그림도 마찬가지일 테고. 결국, 나는 자신과 해결할 것들이 남은 사람인가 보다.

브런치에 글쓰기를 하며 빠져나가기만 하고 채워지지 않는 에너지를 어떤 방식으로 보충할 것인지에 대해 고민했다. 바쁠 것도 없고 대단한 글을 적고 있는 것도 아니면서 이제 막 글쓰기를 시작한 터라 에너지 소모가 생각보다 크다는 걸 새삼 깨달았다.

미세먼지, 초미세먼지 없이 맑고 깨끗한 날. 모처럼 시야가 뻥뻥 뚫린 날. 바람도 살랑살랑 창턱을 마음껏 오가는 날. 창밖 소나무에 큼직하게 얹힌 까치둥지를 보며 시원하게 맥주 한 잔을 들이켜고 싶은 그런 날, 이런 날이 앞으로 며칠이나 있을까 싶게 투명한 날. 뭉실뭉실한 구름을 쫓는 시선과 이따금 지나는 자동차를 구경하는 일이 느릿한 내 삶에 좋은 에너지를 주는 그런 날. 나는 피곤함에 몸이 가라앉아 있었다. 정확한 원인을 모른 채, 구영탄처럼 감기는 눈을 어찌해야 할지 몰라 껌뻑거리고 있는 그런 날. 글을 쓰는 일은 내 기억의 어느 부분이라도 남겨보려 필사적으로 애쓰는 나 같은 사람에겐 꽤나 중독성이 있다. 쓰면 쓸수록 쓰고 싶고, 쓰고 있는 일이 피곤하면서 행복하고 즐겁다. 나의 작은 별 하나가 잠들지 않아서 기록하는 일에 그렇게나 에너지를 쓰고 있었다.

잔뜩 등을 구부린 채로 먹음직스럽게 잘 구워진 노가리 앞에서 한참이나 고민했다. 맥주 한 잔 마시면 오늘 스케줄은 끝인데 캔 뚜껑을

딸까 말까? 오늘따라 왜 이리 노릇하게 구워진 거야. 한 잔 마신다고 꾸고 있던 꿈이 물거품 되는 것도 아닐 텐데 이 작은 일 하나에도 고민이 한 두릅이었다. 글쓰기를 시작하면서 천천히 생각하는 법을 배워가고 있다. 행동으로 바로 옮길만한 일에도 의미를 부여한다. 그렇게 조금 더 느리게 내 시간을 붙잡고 싶은 절박함이 있다.

그저 내 이름으로 살고자 하는 소망이 있다. 내 삶이 불행하다거나 아이가 속을 썩이고 남편이 바람을 피우는 그런 일이 있는 게 아니다. 도망가고 싶어 선택한 글쓰기가 아니라 사라져 버릴 나의 어느 순간을 붙들기 위해 선택한 글쓰기다. 가슴 뛰게 살고 싶은 소망과 누구의 엄마, 누구의 아내 이전에 있던 내 고유의 이름을 찾고자 혼자 글쓰기를 시작했다. 쓰다 보면 잊히고 쓰다 보면 떠오를 내 과거, 현재, 미래를 남기고자 묵묵히 적어 나간다. 박효신의 〈꿈〉을 리플레이 해두고선.

삶은 여전히 현재 진행형

"내가 꽃을 있는 그대로 그렸다면, 아무도 내가 본 것을 보지 못했을 것이다. 왜냐하면, 꽃이 작은 만큼 그림도 작게 그려야 했을 테니까.

나는 그 꽃이 나에게 의미하는 것을 그려내려고 했다. 나는 꽃을 아주 크게 그렸다. 사람들은 놀라서 그림을 바라보았고, 그걸 보는데 시간이 좀 걸렸다. 나는 내가 꽃 속에서 본 것을 아무리 바쁜 뉴요커들이라 하더라도 시간을 들여 보게 했다."

_조지아 오키프

조지아 오키프.

눈에 보이는 사물을 자신의 뛰는 심장만큼이나 확대해 그린 미국의 여성 화가. 나는 여성주의자는 아니다. 그러나 그 옛날 여성들의 일대기를 들여다보는 것을 좋아한다. 어린 시절 아빠 책장에 꽂혀 있던 전혜린을, 나혜석의 삶을, 프리다 칼로의 삶을, 카미유 클로델과 조지아 오키프, 파울라와 잔느 에뷔테른까지 수많은 그녀들을 확대해 들여다보곤 한다. 시대가 변해도 온전히 자기로 살아가는 일은 여성에게 있어 쉽지 않은 일일 텐데 그 옛날의 그녀들은 얼마나 고통스러웠을까. 미치지 않고서야 버텨낼 수 없는 처참했던 그녀들을 안아주게 된다. 도저히 감당할 자신이 없어 시도조차 하지 못하는 나는 뜨거운 삶을 살아낸 그녀들의 열정에 샘이 난다.

고등학생 때 〈카미유 클로델〉이라는 영화를 처음 봤다. 로댕의 그녀가 아닌 온전한 '카미유'의 삶을 보며 삼십 년 가까이 '카미유 클로델'을 줄여 만든 '까뮤'를 아이디로 사용하고 있다. 사람에게는 보이지 않는 영향력이 있다. 유별나고 고집스러워 누굴 닮아 그러냐는 소리를 듣고 자라면 그리 자라게 된다. 그렇게 자란 아이는 비슷한 사람들에게 끌리는 법이다. 1800년대, 1900년대를 앞서갔던 사람들에게 마음을 빼앗기고 만다. 시대는 분명 바뀌었는데 왜 여전히 그녀들을 가슴에만 담아둔 채 나는 아직 그녀가 되지 않은 걸까? 왜 그녀가 되지 못한 걸까? 총포를 들고 지붕을 넘나드는 〈미스터 션샤인〉의 고애신이 나는 왜 될 수 없었던 걸까?

생각해 보면 나는 늘 그렇게 미적지근한 중립을 지키며 살았다. 똘기 충만하게 타고나선 그걸 누르며 사느라 여전히 애를 먹고 있다.

'예의 바르게 행동해야 한다.'

'내가 손해 보듯 살아야 한다.'

'남들 눈에 너무 드러나서는 안 된다.'

공부에 특별하게 취미가 있는 학생도 아니었고 그림을 그린다고는 했지만, 중학교 이후론 두각을 나타낼 정도도 아니었다. 책을 좋아해서 밤새 독서를 한다고는 했지만, 작가가 되어 볼 생각도 안 했다. 유별나고 고집스럽다는 소리를 듣고 살았지만, 남들 눈에 두드러지는 건 좋아하지 않았다. 독립투사의 마음만을 가진 채 현실을 살아가는 일은 한여름 미지근한 바람처럼 밍밍하기만 하다.

버지니아 울프가 말했던 '돈과 자기만의 방'이 필요하지만, 미국의 여성 화가 '메리 커샛'처럼 결혼과 출산을 거부하면서까지 내 인생만 찾지도 못했다. '너 자신을 속이고 사랑받느니, 너 자신을 드러내고 미움받는 게 낫다.'라는 앙드레 지드의 말처럼 용감하지도 못하다. 그런 나는 어떻게 살아가야 하는가. 샤갈처럼 가족의 행복을 느끼며 행복한 그림을 그리는 사람으로 살아갈 방도는 없는 걸까.

모지스 할머니처럼, 로즈 와일리 할머니처럼, 해리 리버먼 할아버지처럼 살아가는 건 어떨까. 남편도 챙기고 아이도 돌보며 젊은 날을 두루두루 보내고 내게 온전한 시간이 허락된 그때 나를 펼칠 수는 없을까. 나는 그때도 지금 같은 열정이 남아 있을까.

인생을 살아간다는 건 끊임없이 쌓이는 먼지를 닦아내는 일이라고 천명관 작가는 〈고래〉에서 말하고 있다. 한 권의 책을 씀으로써 하나의 상처를 덜어내고 작은 꿈 하나를 이루고 나면 좀 더 온전한 나와 만나게 될까? 죽이 되든 밥이 되든 궁둥이를 무겁게 붙이고 글을 쓴다. 법정 스님의 말씀처럼, 내 살아감에 목표는 더 많이 갖는 것이 아니라 더 풍성하게 존재하는 거니까. 아직 끝나지 않은 내 삶은 여전히 현재 진행형.

인생에서 가장 시급한 일은 바로 자기 자신을 되찾는 것이다.
_로빈 노어우드

내가 사랑한 '명동의 예술가들'

〈명동백작〉이라는 EBS 드라마에 빠졌던 건 파리에서 돌아온 직후였다. 그때 난 전혜린의 자신감과 오만함이 좋아 그 드라마를 보곤 했다. 1950년대 명동에는 이름만 대면 알만한 문인들과 예술가들이 한자리에 모였다. 전쟁과 폐허가 된 그곳에서 가장 먼저 문을 연 다방 '모나리자'. 문인들의 생계수단은 신문에 글을 게재하는 것이었는데, 신문사의 편집국장이라도 우연히 만나는 날은 일거리를 얻을 기회가 되기도 했다. 나는 이상스럽게도 1950년대의 한국을 좋아한다. 1880년대의 파리를 좋아하고 그때의 예술가들을 사랑하는 것처럼 말이다.

전쟁이 휩쓸고 가버린 궁핍의 시대. 어려운 시대에 살고 있던 예술가들에 대한 낭만 같은 것을 생각하는 것인지도 모르겠다. 박인환. 모든 게 귀하던 때에 늘 단정히 깎은 상고머리, 일류 양복점 라벨이 붙은 초콜릿색 싱글, 단색 넥타이, 커피색 양말, 초콜릿색 구두. 없던 시절에도 패셔니스타의 면모를 갖추고 있던 시인. 봄에는 진피즈, 가을에는 하이볼, 겨울에는 조니워커를 마셨던 명동 최고의 멋쟁이. 술값 대신 맡겨 놓은 박인환의 만년필. 일찍 떠나버린 그의 만년필은 김수영에게 전해졌다는 이야기가 있는 명동의 다방 '모나리자'를 사랑한다. 프랑스에서 주로 그림을 그렸던 백영수 화백이 남긴 모나리자 다방 스케치도 그 시절의 낭만을 기억하기 좋은 그림이다.

"우리는 모나리자에서 모두 다시 만났으며, 무엇을 해야 할 것인가를 계획하기도 하고, 또 넓은 세상으로 나온 새끼 참새들이 마냥 설렘과 희망으로 부풀었다."

_'성냥갑 속의 메시지. 명동의 모나리자'에서 백영수 회상록

탤런트 최불암 아저씨의 어머니가 운영하던 술집 '은성'. 그곳은 김수영, 박인환, 변영로, 전혜린, 이봉구, 오상순, 천상병 이중섭 등이 막걸리를 마시며 문학과 예술을 꽃피우던 곳이다. 예술가들의 사랑방이자 전혜린이 일어나 큰 소리로 시를 읊던 곳. 박인환이 죽기 전에 〈세월이 가면〉이라는 작품을 남긴 곳.

세월이 가면 - 박인환

지금 그 사람 이름은 잊었지만

그 눈동자 입술은
내 가슴에 있네

바람이 불고
비가 올 때도
나는 저 유리창 밖
가로등 그늘의 밤을 잊지 못하지

사랑은 가고
과거는 남는 것
여름날의 호숫가 가을의 공원
그 벤치 위에
나뭇잎은 떨어지고
나뭇잎은 흙이 되고
나뭇잎에 덮여서
우리들 사랑이 사라진다 해도

지금 그 사람 이름은 잊었지만
그 눈동자 입술은
내 가슴에 있네
내 서늘한 가슴에 있네

어딘가 어리숙해 보일 정도로 욕심이 없어 보이던 이중섭을 기억한다. 그 삶이 특히나 애절해 다큐멘터리도 찾아보고 제주도에 갔을 땐 이중섭 미술관과 그가 잠시 행복하게 살았던 제주의 집도 방문했다. 이중섭 화백의 편지글이 담긴 책을 읽으며 꼭 한 번 제대로 서평을 써야지 해놓고는 차일피일 미뤘던 것이 꼬리에 꼬리를 무는 우연의 일치로 '진부령 미술관'을 만났다. 어머님 생신 차 속초에 갔다가 인제 만해마을로 가던 길에 말이다. 우연은 동시성과 함께 생각을 잠식하고 있는 수많은 무의식은 현실에서 그런 식으로 엮이게 된다. 이중섭 화백 특별전이란 이름으로 상설전시가 열리고 있었다.

"여보, 어! 지금 여기서 이중섭 특별전이 열리고 있대. 보고 갈까?"
"땡큐, 와 이거 너무 신기하지 않아? 나 요새 계속 이중섭 생각만 하고 있었는데 뭔가 또 끌어당기고 있나 봐."

그렇게 상설전시관에 들렀다. 한적한 진부령에 이중섭 화백의 진품이 전시될 리 없었다. 이중섭 화백을 좋아하는 미술관 관장이 그에 대한 스크랩을 프린트해 전시장에 걸어둔 곳이었다. 왜 이곳에 그의 그림이 있을까 싶었는데 의문이 풀렸다. 강원도는 그의 고향 함경도와 가까운 곳이었다. 신문에 나온 내용도 액자에 끼워져 있었다. 어쨌든 줄곧 이중섭 화백 생각을 하던 때의 일이었다. 1950년대 예술인들의 생각이 뇌리를 떠나지 않고 있었다.

일본 대학 시절 그의 이야기 하나가 떠오른다. 스케이트를 타다 다쳐 쉬는 동안 프랑스어 공부를 했다고 한다. 이중섭 화백의 프랑스어 공부는 내게 프랑스어 공부에 대한 꾸준한 동기부여가 되어주고 있다.

정리해 보자. 1950년대를 생각하며 지내고 있던 때, 이중섭 화백과 박인환 시인의 글을 읽고 있었다. 이중섭 화백의 이야기는 강원도를 찾았을 때 우연히도 '진부령미술관'을 만나 그곳에서 또 한 번 되새김할 수 있었다. 박인환 시인이 인제 출신이란 사실은 알지 못했다. 그런데 어머님 생신 차 갔던 인제에는 '박인환 문학관'이 있었다. 마음속에 가지고 있던 어떤 작은 줄기에서 이파리가 하나씩 돋아난 기분이 들었다. 살면서 만나는 많은 것이 우연을 가장한 필연이 아닐까 싶을 정도였다. 강원도로 가기 전에 있었던 감성들을 고스란히 안고 갔다가 다시 데리고 돌아왔다.

그러면서 이봉구의 소설 〈명동백작〉을 상호대차로 신청했다. 나는 주로 이런 꼬꼬무(꼬리에 꼬리를 무는 방식) 방식으로 책을 읽는다. 이중섭, 박인환, 명동백작, 이봉구 그다음은 전혜린으로 다시 돌아갈 것이다. 그리고 보들레르. 그러다가 다시 파리의 1880년대 예술가들로 돌아가겠지.

어쩌면 나는 전생에 그 시대를 앞서 살다 요절한 예술가 중 하나가 아니었을까? 자주 이런 망상을 한다. 〈명동백작〉은 보고 또 봐도 역시 고품격 드라마다. 말초를 자극하는 요즘의 막장 드라마와는 차원이 달라도 너무 다른. 힘든 시절이었지만 서로가 서로를 보듬고 살펴주던 그때의 온기가 나는 참 좋다.

늘 그렇게 한참이나 늦은 출발

발레리나 박세은이 발레의 종주국인 프랑스에서 에투알(étoile·별)로 지명되었다는 뉴스를 읽었다. 프랑스 파리오페라발레단(POB)에서 동양인을 수석으로 호명한 건 이번이 처음 있는 일이라고 한다. 나는 이런 뉴스를 접하면 온몸에 소름이 돋는다. 차근히 기사를 읽고 보니 예원학교, 서울예고, 한예종을 거쳐왔다. 그야말로 예술가로 가기 위한 코스를 제대로 밟아온 셈이다. 나는 언제나 마음 한구석에 예술가의 삶을 동경해왔다. 가고 싶었지만 가보지 못한 그 길에 회한이 남아 있나 보다. 내겐 그런 결핍이 있다.

열정은 식었어. 나이도 먹었고. 어린 나이부터 차근히 그 길을 밟아가는 친구들이 여전히 안쓰럽기도 또 대견하고 대단하단 생각이 든다. 어차피 인생이 한 번이라면 저렇게 처절하게 자기와 싸우며 에투알(étoile 별)이 되어보는 게 진정한 삶의 의미가 아닐까 싶은 생각이 들기도 한다.

2003년 파리의 한여름. 파리에 있다는 사실 하나만으로도 나는 세상의 별이 된 것 같은 착각이 들던 때였다. 20대 후반의 젊고 푸르던 시절, 뭐든 시작만 하면 다 될 것만 같던 그때 생각이 났다. 한국은 막 온라인 쇼핑몰 붐이 일고 있었다.

"까뮤, 프랑스에서 주얼리 같은 거 온라인에 올려서 좀 팔아보면 어때?"

"언니, 나 공부하러 왔어. 무슨 쇼핑몰 얘기야."

"그러지 말고 공부하면서 틈틈이 파리 시내 돌아다니면서 예쁜 주얼리 있으면 사진 찍어서 올려 봐. 지금 하면 대박 날 거야."

"주변에 가이드 한 번 했다가 그 맛에 공부 그만둔 애들이 얼마나 많은데. 여기서 자리 잡고 사시는 분들 얘기로는 그런 거 하지 말고 열심히 공부하다 한국 돌아가래."

"공부하면서는 힘든 거야?"

"지금 전혀 관심이 없어. 그냥 하고 싶은 거 할래."

"그래. 지금 기회일 것 같은데 아쉽다."

생각해 보면 나는 언제나 뒷북이었다. 파리에서 멋진 별이 될 거란 망상에 사로잡힌 채 공부는 뒷전이고 그저 세상 구경만 하고 있던 때, 지인의 쇼핑몰 제안에 콧방귀를 뀌었다. 별 소득 없이 돌아온 한국. 본업이었던 웹디자이너로 먹고 살길을 찾았다. 물론 프랑스 유학파라는 타이틀이 붙으며 대우가 좋았다. 이름만 대면 다 알만한 곳에 취업도 가능했다.(붙고 나서 출근하지 않겠다는 통보를 해버린 엠넷. 참 대책도 없던 시절이다.)

유학을 떠났던 이유를 상기했다. 스트레스에 시달리며 밤샘 작업을 반복하기 싫었다. '느슨하게 일하고 남은 시간에 투잡으로 쇼핑몰이나 해볼까?'하고 생각만 하던 것을 바로 실행에 옮겼다. 영양사로 일하던 막냇동생과 자본금을 조금씩 대고 매일 같이 동대문까지 운전해 다녔다. 내 취향대로 옷과 액세서리, 가방과 신발을 사 와선 서로 번갈아 입고 찍어 밤새 편집하고 상품으로 올렸다. 록 그룹에 관심이 많던 때라 이름 붙은 게 죄다 밴드 이름이거나 밴드의 곡 중에 개인적으로 좋아하는 곡의 제목이거나 그랬다. 식사를 걸러도, 잠을 못 자도 행복하던 시절이었다. 얼굴이 말이 아닌 채로 날마다 그렇게 회사에 다니며 밤엔 쇼핑몰을 운영하며 1년을 보냈다. 이제 자리를 잡아가나 싶던 때 지금의 남편을 만났고 연애하느라 신경 쓸 겨를이 없어진 쇼핑몰은 흐지부지 막을 내렸다.

결혼이란 걸 생각하게 된 시기에 다시 안정적인 회사에 취업했다. 열정을 쏟아붓던 쇼핑몰을 연애와 송두리째 바꿔버렸다. 예나 지금이나 하나에 빠지면 두루두루 보질 못한다. 3년 연애 끝에 한 결혼. 아이를 키우며 프로젝트성 웹디자인 일을 하면서 아이 교육서를 읽기 시작했다. 아이 다섯 살쯤, 쇼핑몰을 권했던 지인이 또 말을 걸어왔다.

"너 요즘 뭐해? 서평을 써보거나 브런치에 글을 올려보는 건 어때?"
"브런치에 어떻게 글을 써? 먹는 거 아냐? 서평은 아무나 하나."
"요새 너처럼 책 좋아하는 사람들이 책 읽고 서평 쓰더라고. 잘할 것 같은데 해 봐. 브런치는 작가 되려는 사람들이 글 쓰는 곳인데 이거 한 번 봐."

늘 뒷북인 내게 이따금 '이거 해 봐. 저거 해 봐.' 하고 최신 정보를 제공해 주는 지인이 있다. 그때 난 아이 키우는 재미에 한창 빠져 있었다. 책을 읽는다고 해봐야 육아 관련 서적과 아이에게 읽어줄 책, 개인 에세이를 읽는 일이 고작이었다. 물론 지금도 크게 다를 바가 없긴 하다. 그리고 미련을 버리지 못해 기웃거리는 미술 관련 서적들을 들춰보는 것 정도였다.

미술관에서 도슨트 활동을 하면서 글을 써야지 생각했던 건 남편의 영향이 컸다. 당시 남편은 회사의 인재개발부에서 교육 관련 일하고 있었는데 자신의 책이 있는 강사들의 강의료가 그렇지 않은 강사들과 비교했을 때 큰 차이가 난다고 했다. 그땐 그저 남의 얘기로만 들었던 것이, 아이가 조금씩 크면서 내 책을 가지고 싶단 생각이 들었다. 글쓰기 강의를 좀 들어볼까 하며 기웃거리다가도 무슨 강의료가 그리 비싼가 싶어 마음을 접곤 했다. 남들은 한참 전에 시작해서 자리를 잡고 열심히 달리고 있던 때, 나는 그제야 SNS에 글쓰기를 시작했다. 코로나가 아니었다면 뒷북도 쳐보지 못했을 일이다.

유튜브로 책 읽어주는 방송을 하나 만들어 볼까 생각한 게 벌써 언제인지도 모르겠다. 다들 일찌감치 뛰어들어 자신만의 바다를 만들어 가고 있는 때, 나는 이제야 한 걸음, 두 걸음 걸음마 배우는 아이처럼 서툴게 조금씩 걸어가고 있다. 아이를 키우며 함께 성장하자는 모토로 하루의 시간을 나름 촘촘히 보낸다고 생각했는데 늘 그렇게 한참이나 늦은 출발이었다.

나는 왜 여전히 나로 살고 싶은 걸까? 아이를 별로 만들 수도 있고 그 별 뒤에서 소소하게 별을 돋보이게 해줘도 될 텐데. 별이 되고 싶다고 누구나 별이 되는 것도 아닐 텐데 말이다. 생각해 보니 나는 그저 내 이름으로 살고 싶은 거였다. 내가 별이 될지 아닐지는 관계없었다. 내가 빛나는 별이라고 생각하고 살면 되는 거였다. 이따금 멋진 별이 된 예술가들을 보면서 여전히 동경의 시선을 보내고 있는 것은 내가 가보지 못한 길에 대한 아쉬움 때문일 거다.

누구나 모든 길을 가볼 수는 없다. 그들이 가지 않은 길을 나는 가고 있을 테니. 사는데 답은 없다. 인생은 늘 선택의 연속이고 나는 내가 선택한 삶을 살고 있다. 늦은 움직임이란 건 그저 내가 그들을 동경하는 마음이 여전히 남아 있기 때문일 것이다. 사전을 뒤적거리며 문장을 읽어나가는 아이의 예쁜 입술의 움직임으로 행복한 저녁. 그 모습이 사라져 버릴까 봐 휴대폰을 꺼내 들고 동영상을 찍고 있는 나를 발견한다. 아이가 날려주는 작은 손가락 하트에 심장이 가려워지는 삶을 선택한 건 나였다. '달팽이가 느려도 느리지 않다.'라고 했던 정목 스님의 책 제목처럼 나는 느리지만 느리지 않다. 그들처럼은 되지 못하더라도 나는 내 자리에서 충분히 빛나고 있다.

세상 무엇보다 빛나는 아이와 함께.

정말 좋아하는 일을 밥벌이로 (feat. 아무튼 출근)

"그렇지. 종일 저렇게 돌아다니며 밥 먹을 시간도 없는 게 현실이지. 현실은 방송보다 더할 텐데 그래도 좋은 사람들 만나 일한다니 천만다행이네. 몸이 좀 고생해도 마음고생 덜 하는 게 어딘데."

'스타일리스트'의 일상을 밀착 취재하는 방송을 한다길래 재미있겠다 싶어 TV 앞에 앉았다. (주말을 제하곤 TV를 안 본다.) 좋아서 하는 일이라니 열정을 불태울 적기에 잘 선택한 일이구나 싶은 생각도 들었다. 환한 얼굴빛만 봐도 그녀가 그 일을 얼마나 좋아하는지 알 수 있었다. 그리고 등장한 PD의 삶에 시선이 꽂혔다. 그는 '인서트' 영상에 넣기 위해 갯벌을 헤집고 조개를 찾고 있었다. 한참이나 기다렸지만, 조개는 나타나지 않았다. 갯벌에 물이 들어오는 관계로 조개 잡기는 실패 영상으로 남았다. 방송 분량만을 보더라도 편집되기 전, 얼마나 긴 시간을 촬영했을지 짐작할 수 있었다. 바닷가에 내려앉은 해무 촬영을 하고 나무에 얌전하게 묶여 있는 강아지 한 마리를 찍고 이리저리 장소를 이동하며 맡은바 촬영에 임하는 모습이 고스란히 카메라에 담겨 있었다. 봉지 라면을 꺼내 허겁지겁 점심을 해결하던 4년 차 PD의 일상에서 과거의 내가 오버랩 됐다. 영혼과 육체를 갈아 만든 방송 분량조차도 편집본이었을 터.

좋아서 하는 일이 아니라면 버텨내기 어려운 게 영상 일이다. 물론, 다른 분야도 마찬가지겠지만 영상 일은 정신력과의 싸움뿐 아니라 육체 싸움에서도 지면 안 되는 일이기 때문이다. 촬영본을 들고 편집실로 들어가 '가편집'을 하고 많은 작가와 선배 PD 앞에서 '피드백'을 받아야 하는 일. 대학에서 나는 비슷한 경험을 했다. '가편집' 후엔 사운드와 자막을 입힌다. '인서트' 장면 하나 만드는데 몇 날 며칠이 걸리기도 한다. 밤을 새우는 일이 비일비재하다. 멍한 정신으로 데드라인을 맞추며 내가 이걸 왜 선택했을까를 수십, 수백 번. 하지만 영상이 상영되는 동안 느끼는 그 희열감이란. 고작 15초, 30초짜리 광고를 만들고, 15분짜리 영상 작업을 하며 영화감독이 된 기분이 들기도 했다. 물론 생각만큼 나오지 않을 때가 많아 좌절의 쓴맛을 더 많이 감수해야 했다. 그때의 난 '데이비드 린치' 감독의 컬트

영화에 말 그대로 미쳐 있었다. 영원한 비밀은 존재하지 않으니 모두 까발리겠다고 말하는 '로스트 하이웨이'류의 영화를 만들어 보고 싶었다. 상상만 해도 너무 멋지다. 컬트영화감독 김상래.
크~ 꿈과 망상은 종이 한 장 차이라지 않나. 지금은 정신 차리고 글 쓴다.

밥벌이. 정말 좋아서 시작한 일도 결국엔 밥벌이 이상 되기 힘들다. 특히나 열정으로 해야 하는 일은 더욱 그럴 텐데. 젊은 날 가진 열정을 모두 그렇게 소진하기엔 인생이 너무 짧다. 쓰러져 가며 좋아하는 일을 하고 그만둬도 후회는 남기 마련이다. 그런 와중에 묵묵히 도를 닦듯 자신의 길을 가는 사람들이 분명 있다. 영화에서의 조명이 모든 것을 달라 보이게 하듯 그 사람들이 내게 꼭 그랬다. 정말 닮고 싶다. 그러고 싶었다. 요즘같이 취업도 힘들고 부당한 대우를 왜 견뎌내야 하는지 알 길이 없는 세대를 위한 좋은 방송 〈아무튼 출근〉이 내게도 전달하는 바가 컸다.

눈앞에 돈이 차곡차곡 쌓이는 일보다 경험이 내 것이 되는 일이 직업이 된다면 살아가며 두고두고 힘이 되리라 생각했다. 기왕이면 정말 좋아서 할 수 있는 일을 직업으로 삼기 위해 오늘도 글을 쓴다. 첫술에 배부른 자가 있던가. 이제는 포기할 시간이 없다. 무조건 끈질기게 잡고 늘어질 테다. 하다가 싫증이 나서 그만두고 싶을 때도 가늘게라도 붙잡고 있을 작정이다. 이게 내 길이다. 바람에 나뭇가지가 흔들리더라도 뿌리는 뽑히지 않게 오늘도 나는 '아무튼 쓴다.' 그들처럼 환한 얼굴로 그저 묵묵하게 엉덩이 무겁게 의자를 눌러가며.

의식에 나타나는 것에 형체를 부여하는 형식은 의식 내에 있어야 한다.

_우파니샤드

삶이란 구체적으로 애쓰지 않으면 결코 원하는 인생은 찾아오지 않는다. 원하는 인생을 사는 방법은 간단하다. 정말 좋아하는 일을 하고, 관심 밖인 일엔 관심을 줄이는 것이다. 나만의 공간이 필요하다. 내부로 잠수할 기회가 주어지면 돈의 굴레에서 벗어나 재미있게 일할 수 있게 될 거다. 그 안에서 창의성을 발휘해 비약하게 될 거다. 그게 지금이 아니어도 언젠가는 그렇게 될 거다. 나는 믿는다.

다시 심는
씨앗

작은 도전 하나, 모닝페이지를 쓰다

희미한 비전 앞엔 간절함이 있었다. 이루어지는 과정 속엔 구체화가 필요하다. 꿈은 이루어지리라.

하루를 시작하기에 앞서 머리맡 노트를 찾는 일. 어느새 꼭 필요한 일과가 되었다. 1년을 하루도 빠짐없이 모닝페이지를 채워가는 일. 마늘과 쑥만 먹고 사람이 된 웅녀처럼 온전히 내가 되고 싶은 간절함이 있었기에 가능한 일이었다.

3년 전, 막냇동생의 미라클 모닝 얘기가 무의식에 남아 있었던 건가. 해야지 하고선 미루었던 생각이 수원시립미술관에서 진행한 '49일간 아티스트로 살아가는 법'에 참여하며 제대로 씨앗을 심게 된 계기가 되었다. 끄적이는 일이 그리 두렵진 않았다. 잘 쓰려고 애쓰지 않았기 때문일까. 그저 내 무의식에 어떤 것들이 흘러다니는지 알고 싶었다. 매일 눈을 뜨자마자 적기 시작했다.

꿈. 내가 하고 싶은 것. 아이의 성장과 나의 성장, 가족, 그리고 한옥 같은 것들. 두서없이 흐르는 의식을 자유롭게 적어나갔기에 1년을 하루도 빠짐없이 채울 수 있었다. 잘 쓰려는 욕심, 멋져 보이려는 마음을 가졌다면 며칠하고 끝났을 게 빤하다. 부끄러울 것도 없었다. SNS에 올라오는 행복한 표정들 이면엔 모두 비슷한 삶이 있을 텐데 보이는 것이 전부가 아닌 것을 알 나이다. 감출 필요도 없었다. 오고 가는 좋고 나쁜 감정들을 모두 옮겼다.

삶의 변화가 찾아왔다. 밤에 적어 나가는 글에는 지치고 아픈 마음들이 고스란히 실어지는 반면, 일어나 눈을 뜬 시간엔 희망찬 생각들이 흘렀다. 아! 이거였구나. 미래를 바꿀 유일한 시간. 모닝. 그래서 미라클 모닝이고, 모닝페이지구나. 하루를 시작하며 한숨짓는 사람은 없지 않을까? 오늘 하루 그래도 힘차게 보내야지 하는 다짐으로 시작하지 않나. 그 시간을 소중하게 여기니 긍정의 마음이 잡혀갔다. 그 마음은 다시 꿈을 꾸는데 집중하게 했고 집중을 하다 보니 무언가를 시작하게 되었다. 시작은 결실을 맺고 나름대로 작은 성공이라 이름 붙이던 것들의 가짓수가 늘어갔다. 물론 전적으로 내 기준에서의 작은 도전과 성공을 말한다.

오늘은 어떤 시작을 해볼까? 오늘은 어떤 도전을 해볼까? 아침 계획은 하루를 알뜰하게 보내는 데 큰 역할을 한다는 사실을 깨달았다. 내 시간 확보의 중요성.

주부들의 하루도 계획표가 있다면 알차게 보낼 수 있다. 빨래하고 설거지, 청소, 집안 정리조차 모두 계획표 안에 있다면 짬짬이 주어지는 시간이 언제인지 알게 된다. 틈새를 공략하는 거다. 아이가 학교 가고 없는 시간, 아이가 숙제하거나 공부하고 있는 시간. 그 사이의 시간을 내 시간으로 틈틈이 채워가는 거다.

예를 들어, 아이를 학교에 보내기 전까진 어떤 주부도 한가로울 리가 없다. 나도 처음엔 그랬다. 지금은 나름 한가롭게 시작한다. 물론 그게 안 되는 부득이한 날도 있다.(가령, 아프거나 이른 시각에 여행 준비를 할 때) 아이가 등교했다가 수업이 끝나 피아노 학원에 다녀오면 집에 도착하는 시간이 두 시가 조금 넘는다. 따져보자. 오전 아홉 시부터 오후 두 시까지의 황금 같은 시간. 제일 먼저 명상음악을 틀어둔다. 그 다음 세탁기에 빨래를 돌린다. 엉덩이를 붙이고 앉아 한 꼭지의 글을 쓴다.(처음엔 몇 시간씩 걸렸다.) 입이 궁금하면 씹을 거리를 오물거리며 글을 쓴다. 처음엔 이렇게 오전이 다 갔다. 한 꼭지 글 쓰는 시간으로 다 써버린 셈이다.

지금은 한 꼭지의 글은 대략 삼십 분에서 한 시간이면 된다. 물론 다듬어진 상태가 아닌 날것 그대로다. 뭐 어떤가. 소스를 모은다고 생각하면 된다. 그다음 설거지를 한다. 그러고도 시간이 남는다. 책을 펼친다. 따뜻한 햇볕이 창가 가득 들어오는 그 시간에 커피 한 잔과 책장을 넘기는 충만함을 느낀다. 아이가 오면 간식을 챙겨주고 학교 이야기도 하고 또 같이 책을 읽으며 남은 시간을 보낸다.

모닝페이지를 적으며 생긴 가장 큰 변화를 꼽으라면 글쓰기 근육이 키워졌다는 거다. 그게 뭘까? 궁금했었다. 글 쓰는데 무슨 근육이 필요할까? 하다 보니 알겠더라. 글은 가만히 앉아 있다고 떠오르지 않는다. 물론 초반엔 꿈꾼 이야기도 써보고 일과 중 특별한 건수들을 만들어 글을 채워갔다. 옥죄고 있던 사고의 틀을 깨고 싶어 늘 걷던 길과 다른 길을 걸으며 의식을 깨는 글감을 찾기도 했다. 모닝페이지를 해보니 의식이 자유롭게 흐르는 대로 내버려 둔다는 게 얼마나 소중한 훈련인지 알게 되었다. 의식을 가두지 않고 밖으로 자유롭게 꺼내니 손이 흐름을 읽는다. 멈추지 않는 의식의 세계. 손은 계속해서 자판을 미끄러져 나간다. 펜이 손을 이끄는 그 경험이 글쓰기 근육이라는 걸 알게 되었다. 백 일을 넘기고 일 년을 넘기니 눈 뜨면 모닝페이지부터 찾는 사람이 되었다.

보통 그렇지 않은가. 무언가를 써보세요. 라는 막연한 주제에 손이 종이를 미끄러지듯 써나갈 수 있을까? 주제가 주어져도 시작하는 일은 어쩐지 막연해진다. 모닝 페이지를 꾸준히 하다 보니 주제가 있든 없든 그 막연함이 사라졌다. 의식의 흐름을 방해하지 않고 적은 순간의 반복들이 종이 위에 춤을 추듯 자연스레 흘러나왔다. 지금은 글 쓰는 일에 두려움이 없어졌다. 그냥 적게 된다. 모닝페이지 효과를 그렇게 몸으로 체감하게 되었다.

내 인생을 어제의 나와 오늘의 나로 구분 짓는 일 외에 더 이상 다른 사람의 지금과 나를 비교치 않게 된 점도 좋은 점으로 꼽을 수 있겠다. 어제 내가 이만큼이었다면 오늘의 나는 그보다는 조금 나은 방향으로 꿈꾸게 된다. 그러면서 기적처럼 작은 일의 덩어리가 커지고 마음속 불안한 감정들이 어떤 일을 시작하게 만들었다. 생각으로 끝나지 않고 실행하게 된 거다. 하다 보니 중간쯤 와 있고 하나둘 마무리되는 일들이 늘어갔다. 시작을 했더니 끝을 맺게 되는 일. 하나씩 차근차근 지금의 내게 집중하는 일을 모닝페이지가 착실하게 다

져준 셈이다.

누군가 내게 어떻게 글을 쓰게 되었냐고 묻는다면, 무조건 쓰세요. 라는 막연하기 짝이 없는 말을 건네지 않을 것이다. 대신 이렇게 말해주고 싶다. 가능하면 최대한 구체적으로 말이다.

"매일 아침 내 마음이 가는 대로 아무거나 써보세요. 나만의 예쁜 노트로 시작해도 기분 전환이 되겠지만 알뜰하게 시작한다는 의미로 아이들 학교 앞에서 받아온 안 쓰는 노트 있잖아요, 그 노트 놔두면 쓸데가 없으니 거기에 그냥 넋두리라도 적으면서 시작하세요. 아이가 속 썩이면 그걸 적어요. 남편이 맘에 안 들면 그걸 쓰고, 내가 지금 왜 이러고 있나 싶으면 그걸 그냥 쓰세요. 쓰다 보면 손가락이 무지 아파져요.

그래도 한 번 써 보세요. 내가 이런 나쁜 감정들을 쏟으려고 아침마다 이 고생을 하는구나. 그렇게 쓰다 보면 마음에 위안을 얻게 될 거예요. 상처들이 하나둘 치유되면서 사고가 긍정적으로 변화됨을 느낄 거예요. 지나고 나면 사라져 버릴 소중한 시간들을 부정적인 곳에 쓸 필요가 없다는 걸 알게 돼요. 기왕이면 발전적인 곳에 내 손가락을 움직이고 싶어져요. 그러면 이제 감사의 마음을 담아 의식의 흐름을 적

어 가는 거예요. 어제를 떠올리며 아주 작게라도 감사했던 마음, 내가 하고 싶은 게 무얼까 생각해 보는 거죠. 그렇게 나를 위해 써 보는 거예요."

어느 날 변한 나를 만나게 된다. 뭐가 그리 감사하며, 바쁜 일상이 얼마나 여유로울까 싶겠지만 아침의 그 작게 마련된 값진 내 시간에 어제의 일을 감사하고 오늘 할 일을 계획하며 아주 작은 단위로 시간을 쪼개 쓰고 있는 나를 발견하게 된다. 작년의 나와 지금의 나를 비교하면 그 성장 속도가 어마어마하고, 당장 올 초반의 나와 지금의 내 모습에도, 올여름과 지금을 비교해도 그렇다. 갑자기 이게 다 무슨 일인가 싶을 정도로 지난 시간을 되돌아보면 마법같이 느껴지기도 한다. 그러면서 지금 하는 일이 끝나면 어떤 걸 시작해 볼까? 올해 말은 어떻게 마무리 지을까? 내년엔 어떤 일로 마법 같은 시간을 만들어 볼까? 자꾸만 나를 꿈과 연관된 방향으로 이끄는 경험을 하게 된다. 기적처럼 많은 것이 벌써 어느 만큼 이루어져 있다. 계획했던 시간보다 훨씬 앞당겨졌다. 그걸 해낼 수 있는 힘이 모닝페이지에 있다고 믿는다. 이건 어디 가서 따로 배우거나 한 게 아니라 1년을 직접 해보며 체득한 경험이라 확실하다.

남편과 아이에게서 조금 떨어져 나와도 집안이 어떻게 되지 않더

라. 오히려 끊임없이 무언가 하고 있는 내 모습으로 집안에 더 좋은 변화가 일어난다. 남편은 어느덧 작가의 세계에 발을 디딘 나를 지지해 주고, 아이는 글 쓰는 엄마 옆에 앉아 숙제를 하거나 책을 읽는다. 내가 바뀌니 가족의 분위기도 바뀌었다. 이런 좋은 변화를 꾸준히 이어가고 싶어 나는 또 열심히 내 것을 찾는다. 나 하고 싶은 걸 하는데 가족이 응원해준다. 얼마나 좋은 변화인가. 심지어 돈 드는 일도 아니니 말이다.

1년간 모닝 페이지를 적으며 일어난 변화들을 다음 꼭지에 하나씩 소개해 보겠다.

작은 도전 둘, 100일 글쓰기를 하다

2021년 2월 5일 무작정 시작한 100일 글쓰기가 7월 13일부로 끝이 났다. 하루도 빠짐없이 썼더라면 더 빨리 끝났을 거다. 인생이 어디 계획한 대로만 흘러가나. 그렇진 않더라도 의도한 대로 흘러가게는 할 수 있다. 내가 아프거나 아이가 아팠던 날, 집안 행사로 눈코 뜰 새 없이 바빴던 날, 글이 써지지 않던 날, 글보다는 책이 더 읽고 싶던 날. 핑계를 대자면 수도 없이 많았다. 마음이 간절했던 날엔 명절 보내러 시댁에 내려갔을 때도 가족들 자는 틈을 타 두서없이 글을 쓰기도 했다. 여행 중에 가족들에게 방해가 될까, 화장실 불을 켜두고 그 앞에 엎드려 끄적인 날도 있었다. 반대로 모든 환경이 글쓰기에 제격이던 날엔 글이 써지지 않아 힘들기도 했고, 그냥 쓰면 된다는데 쓰면 쓸수록 왜 이렇게 나를 끄집어내려는지, 이렇게 하지 않으면 의미

없이 살아가는 사람이 되는지 헷갈리던 날도 있었다.

첫 번째 도전 모닝페이지 쓰기 이후, 100일 동안 마늘과 쑥만 먹고 사람이 된 곰처럼 딱 100일만 써보자고 시작했던 100일 글쓰기를 두 번째 도전이라 생각했다. 100일이 지나면 짜잔~ 하고 책이 만들어질 거란 생각은 없었다. 100일을 지내며 끄적이는 일을 몸에 익히자. 몸에 익으면 무엇이든 쓸 수 있는 자신감이 붙을 테니 그때까지 가보자. 쪼그라든 나에 대한 믿음, 엄마로만 살아야 하는 헛헛한 마음, 그것으로부터 나를 찾기 위한 시도였다고 말하면 가장 정확할 것 같다.

그래서 뭐가 바뀌었는가, 하고 물으면 아주 작고 소소한 도전을 이어 가게 되었다는 거다. 작은 도전이라 썼지만 닫힌 마음, 굳은 심장을 열기까지 내게는 굉장한 용기가 필요한 일들이었다. '아이와 매일 조금씩 성장하자.' 이렇게 모토를 정하고 난 후 글을 쓰기 시작하면서 나와 아이를 모두 생각하게 되었다.(물론 이 모든 일은 언제나 내 편이 있어 가능한 일이기도 했다. 잔소리를 많이 참아줘서 고마워.) 엄마가 자꾸 도전하고 열심히 살아가는 모습을 보이면 아이도 엄마를 따라 닮아가겠구나 싶은 생각이 들었다. 엄마와 아내 이외, 본래의 나를 찾는 과정을 100일 글쓰기를 통해 얻었다고 하면 맞을 것 같다. 아주 소소하지만, 서평단에 당첨되어 무료로 책을 받는 일도 있었고 간절한 마음이 통해 블로그 이웃님 '화줌마'님의 신간 책을 선물 받아 내가 살았던 파리를 생각하며 서평을 써 보기도 했다. 그러면서 주변의 좋은 자극을 받게 된 것도 100일 글쓰기가 아니었다면 불가능했을 일이다.

"엄마는 뭐든 하기만 하면 다 되더라."

아이에게서 나온 이 말이 참 좋았다. 스스로이길 바라며 적던 글들을 다시금 읽으며 얼마나 부끄럽고 모자람이 느껴졌는지 모른다. 쓰지 않았다면, 나의 시절을 기록하지 않았다면 없었을 시간이다. 기록을 통해 비로소 나를 자세히 들여다보게 되었다. 그래서 더욱 쓰기를 멈추지 말아야겠구나, 다짐하는 계기가 되었다. 글을 쓰면서 신기한 일은 계속 일어났다.

동강 사진박물관에서 주최하는 '동강 국제 사진제'에 내가 찍은 아이 사진이 '보도사진가전'에 채택되어 전시회에 참여하기도 했다. 2021년 7월 16일이 전시 시작하는 날이었다. 아이 방학하고 가려고 했으나, 차가 말썽이라 직접 가보진 못했다. 친절한 이웃들이 방문하여 아이 사진을 보내 주기도 했다. 아주 작고 소소한 도전들이 차곡차곡 쌓여 나를 이루고 우리 가족에게 웃음을 만들어주고 있었다. 쓰지 않았다면, 하루하루를 생각하면서 살지 않았다면 일어나지 않았을 일이다. 100일 글쓰기를 마치며 나는 새로운 글쓰기를 하고 있다. '100일 그림 에세이'로 내 안에 잠자고 있는 또 다른 나를 찾아보려는 중이다. 그림의 이론을 설명하기보다 내가 경험했던 일로 떠오르는 그림들을 함께 보는 방식으로 말이다. 누구나 쉽게 그림을 마주할 수 있고 편하게 읽을 수 있는 글이 되길 바라는 마음으로.

내년엔 또 다른 방식으로 책을 준비하고 있다. 이제 시작일 뿐이니까.

작은 도전 셋, 브런치 작가 신청을 하다

내가 마음을 담아 두고 있는 일이 아니라면 '어떻다더라.' 하는 말에는 그다지 귀를 기울이지 않는 편이다. 우르르 몰려다니는 걸 내켜하지 않는 성향이 이런 데도 고스란히 묻어난다. '좋다더라. 다들 그런다더라.' 하는 얘기를 듣는 순간 그건 내 것이 아니구나 싶어진다. 월드컵이 한창이라고 나도 꼭 축구장에 가서 응원하거나 친구들과 얼싸안고 생전 보지도 않던 축구를 응원할 필요는 없다는 생각이다. '떼창'이 불편한 사람도 분명히 있다. 그때 난 한국에 없기도 했고.

5년의 세월이 흘렀다. 브런치를 해보라는 지인의 충고를 귓등으로라도 들었다면 글쓰기의 맛을 일찍 알게 되었을지도 모르겠다. 닥쳐야 한다. 절실해져야 안다. 그때도 참 간절했다 생각했는데 그땐 내 마음을 깊게 들여다보는 시간보다 돈이 더 필요했다. 그럴 수 있다. 방 두 개 딸린 7층짜리 오피스텔 건물 주인이 돌연 자살을 해버렸다. 그 집을 소개해 준 부동산 업주의 얘기로는 건물이 지어지기 전에 그곳은 목공소라고 했다. 건물주는 목공소를 운영하며 착실하게 돈을 모았고 7층짜리 건물주가 되었는데 불의의 사고로 몸이 불편해졌다고 했다. 착한 양반이 동네 양아치들의 꼬임에 넘어가 하이원을 수시로 오가다가 빚을 지게 된 바람에 죽음을 선택한 거라고 전해 들었다. 정말 죽게 생긴 건 나였다. 학자금 대출을 안은 채, 이제 막 취업한 남편이 무슨 돈이 있겠나. 나도 마찬가지였다. 꼬박꼬박 일은 했지만 집 살 돈이 있는 건 아니었다. 어디서 살아야 하나 막막하던 차에 그림 그린다고 기둥뿌리 뽑아간 것도 모자라 전셋집까지 아빠에게 신세를 지게 되었다. 일하면서 두고두고 갚는다는 게 애매해져 버린 상황. 아빠 명의로 얻은 전셋집을 내 쪽으로 돌려주면서 전세자금 돌려받는 순위가 1순위에서 가장 끝으로 밀려나 버렸다. 아빠의 탓이 아니었지만 그땐 모두를 원망했다.

누구도 그런 상황이 닥칠 줄은 꿈에도 몰랐다. 피 같은 전세자금 팔천만 원을 돌려받기 위해 법원을 내 집 드나들 듯했다. 그 집을 소개해 준 부동산 업주를 원망했다. 책임감 없게 혼자만 가버린 집주인이 살아 돌아와 해결해 주길 바랐다. 아우디를 타고 다니면서도 죽은 남편의 빚을 떠안기 싫어 피해 다니던 안주인과 만났을 땐 분노를 뿜어냈다. 여러 채의 아파트를 가지고 있다고 해서 편지도 보내고 문자도 보내봤다. 그도 안돼 그들의 아들에게도 연락을 취했다. 그 둘은 죽은 집주인의 모든 빚에서 손을 뗐다. 오랜 기다림 끝에 손에 쥔 돈은 겨우 이천칠백만 원이었다. 법은 누구를 위해 존재하는가에 대한 의문을 품게 되었다. 돈이 많이 필요했다. 집을 이사하기 위해 그동안 열심히 부었던 적금을 깨고 손해를 감수하고 보험을 해지했다. 영혼까지 끌어모아 새 아파트를 분양받았다. 분양 말고는 갈 곳이 없었다.

집에선 나름 공주처럼 자랐다. 시집가면 다 하게 된다고 딸 셋이 엄마처럼 고생하지 말라며 집안일을 시키지 않으셨다. 엄마만 늘 고생이셨다. 어른이 되기 위해 인생을 돌고 돌아야 하는 숙제 같은 게 있었던 게 아닐까? 비켜 가도 될 일들이 굳이 일어났던 게 어쩌면 글을 쓰게 될 운명이었나? 할 얘기가 참 많았다. 가슴이 답답해지는 시간이 쌓여만 갔다. 블로그를 시작하고 글쓰기 환경을 만들면서 주변에 브런치에 글을 쓰고 있는 작가들을 보게 되었다. 여러 출판사가 색다른 작가를 찾기 위해 브런치 작가들을 유심히 보고 있다는 얘길 들었다. 100일 동안 글쓰기도 했으니 브런치 작가에 도전을 해보자 싶었다.

작가님이 궁금해요.

마흔다섯, 여자 사람, 4살 연하 남편이 있음. 한때는 싸이월드 인싸였으나 느지막이 결혼해 초등 4학년 아이를 키우고 있는 평범한 가정주부. 아이와 함께 성장하자는 모토로 인생 2막을 준비 중.

과거- 웹디자이너로 근 20년, 영상디자인 전공, 프랑스에서 오디오비주얼 전공, 불어불문학 전공, 쇼핑몰 젤리박스 대표

현재- 수원시립미술관 도슨트, 프랑스 아동 미술강사, 초4 아이의 엄마, 작가 지망생

미래- 그림 그리는 작가, 글 쓰는 화가, 마당 있는 한옥 안주인

브런치에서 어떤 글을 발행하고 싶으신가요?

인생 2막은 글 쓰는 사람으로 살아가려고요. 읽은 책에 대한 서평도 쓰고, 드라마를 보며 찾은 그림에 대한 이야기, 엄마로 살아가는 저의 이야기, 그리고 아직 끝나지 않은 꿈에 대한 이야기를 쓸 생각입니다.

브런치에서 발행하고자 하는 글의 주제나 소재, 대략의 목차를 알려주세요.

1장. 인생

- 내게 찾아온 어둠의 시간들
- 자기 밖으로 나가는 감을 잃은 건 아닌지
- 늘 그렇게 한참이나 늦은 출발이었다.
- 노안렌즈
- 엄마의 아픔과 아이의 행복

2장. 꿈

- 나
- 결국 해내는 사람들의 원칙
- 자발적 이방인
- 삶은 여전히 현재 진행형

3장. 행복

- 솜털같이 부드러운 태양 같은 아이
- 잘 물든 단풍은 봄꽃보다 아름답다.
- 꼼꼼치 못한 엄마 덕에 행복한 아이

4장. 장소

- 기억하고 싶은 날과 기억나는 날은 다르다
- 도슨트 엄마와 미술관에서 놀기
- 어디에서 어떻게 살 것인가.

내 서랍 속에 저장! 이제 꺼내주세요.

총 세 개의 글을 보냈고, 그 내용은 드라마나 책을 통해 우연히 보게 된 그림 이야기였다.

예를 들어 드라마 〈사랑의 불시착〉을 보다가 '마크 로스코'의 그림을 발견하고 글을 썼다. 역시 같은 드라마에서 〈수직정원〉 시초를 만든 '훈데르트바서'에 관한 글을 실었다. 알랭드 보통의 〈영혼의 미술관〉을 읽으며 흠뻑 반해버린 '백자 달 항아리'에 관한 이야기도 썼다.

주말을 포함, 3일 만에 연락이 왔다. 금요일에 지원했으니 주말 이틀을 빼면 하루 만에 연락이 온 셈이다. 단번에 브런치 작가가 되었다. 인생에 풀어내야 할 이야기가 많아 작가로 살기로 했다.

작은 도전 넷, 출간기획서를 쓰다

하루의 시작은 아이가 깨기 전, 모닝페이지를 적는 일부터다. 남편의 아침 준비로, 아이가 부스스 일어나기 전까지 노트와 한몸이 된다. 반찬 해놓고 남편 보내고 아이가 깨기 전까지 부랴부랴 내 어제와 아침을 의식의 흐름대로 적어간다. 그렇게 모닝 페이지는 나의 아침 루틴 중 어느새 가장 중요한 일이 되었다. 그 후로 100일 글쓰기를 시작했다. 나는 철저히 혼자 쓰는 일을 하고 싶었다. 어딘가에 휘둘리지 않고 오롯이 나와 대화하기를 원했다. 100일 글쓰기는 모닝페이지에 이어 내게 오래 앉아 있을 수 있는 단단한 근육을 만들어주는 계기가 되었다. 기록이 모이니 출간기획서를 써보고 싶었다. 계약서라는 곳에 사인도 해보고 출간 과정의 심정을 기록으로 남겨 보고도 싶었다. 내 이름으로 된 책으로 강연도 다니며 '전업주부였던 나도 했으니 당신도 할 수 있어요.'라고 말해주고 싶기도 했다. 아픔이 있었지만 늘 아팠던 건 아니라는 걸 비슷한 경험을 한 사람들과 나누고 싶어졌다.

출간 기획서를 출판사에 보내기 전, 인사담당이라 늘 서류 보는 일과 면접을 담당하는 남편에게 내가 쓴 것들을 쓰윽 내밀었다. "오~ 생각보다 글 잘 쓰네. 재밌어." 남편은 글을 읽어보곤 나라는 사람이 궁금하고 내가 쓴 글이 생각보다 재미있다고 했다.(울면서 써 내려간 글이거늘.) 본인이 출판사 대표라면 출간 제의를 할 것 같다고 했다. 그 얘기에 두려움을 걷어내고 용기를 내 출판사의 문을 두드렸다.

우리나라에 출판사가 2천 군데가 넘는다는 사실을 출간기획서를 쓰고 나서야 알게 되었다. 나는 달랑 스무 곳에 내 에너지를 전달했다. 나와 취향이 비슷하고 내 꿈이 이루어질 곳, 내가 크면서 출판사도 함께 컸으면 하는 그런 곳을 찾았다. 출간기획서를 보내고는 오전 루틴 중 메일함을 여는 일도 중요한 일과 중 하나로 바뀌었다.

수원문화재단에 지원 활동이나 지원 사업에 신청서를 내며 확인하게 된 메일함은 어느새 내게 선물상자가 되어 버렸다. '오늘은 어떤 소식이 왔을까? 기다리던 소식이 있는데 확인하면 실망하게 될까?

이번에도 선정됐네. 어! 우리 또 된 거야? 이번엔 결과가 오래 걸리네. 우리 안 됐나 보다.' 하며 열게 된 메일함엔 그렇게 행복한 소식이 차곡차곡 쌓이고 있었다. 그러나 출간 기획서를 보내고는 어찌 된 일인지 '저희와는 출간 방향이 맞지 않습니다. 소중한 원고를 출간하지 못하게 된 점 죄송하다.'는 메일을 일주일 동안 받았다. 그래 봐야 몇 군데 안 된다. 많이 보내지 않았으니 당연한 결과다. 그러는 사이 다른 일들이 꼬리에 꼬리를 물고 생겼고 마치 직장 생활하던 그때처럼 아이가 줌 수업을 하는 동안, 나도 꼼짝없이 일하는 시스템이 되어갔다.

자연스럽게 출판사에 출간 기획서와 샘플 원고를 보낸 일을 까맣게 잊게 되었다. 투고하고 2주. 아침에 메일함을 열어보고 이게 무슨 일인가. 정말 같이 해보고 싶은 출판사 두 곳에서 출간 제의 메일이 들어와 있었다. 한 곳에선 '삶을 흐르는 대로 살지 않고 그 틀을 깨려고 하는 내가 너무 멋지다.'(감동의 쓰나미가 밀려오다 웃겼던 대목-나는 흐르는 대로 살아보려고 무던히도 애쓰고 있던 터라)는 내용의 글이 적혀 있었다. 생각지도 못한 메일에 혼자 애쓰던 날들이 아픔의 시간을 타고 흘러내렸다. 주변에서 몇 개월 만에 출간 제의를 받았다, 책이 출간되었다, 어디에서 사인회를 가졌다, 라디오 방송에 출연했다는 소식이 그저 부럽기만 했다. 그들의 글을 읽으며 '그래, 이렇게 멋지게 써야 책으로 출간되는 거야. 나는 이제 고작 100일 글쓰기를 마쳤을 뿐이잖아. 갈 길이 멀다.'라며 스스로를 작게 만들었다. 이미 커 있는 곳 말고 함께 클 수 있는 곳을 원했다. 나의 성장에 함께 기뻐해 주는 가족 같은 곳이길 바랐다.

심장을 죄어오는 고민 끝에 내 첫 번째 '꿈'이라는 타이틀과 맞는 출판사를 선택했다. 출판사를 선택하고는 많은 생각이 들었다. 그 가운데 원초적 문제에 봉착해 또 일주일을 보냈다. '과연 나는 왜 글을 쓰려고 하는가.' 살아온 인생을 돌이켜보면 성공보다는 성장하는 삶을 원해 그리 살았다. 그러느라 참 많이 에둘러 온 삶이었다. 신이 인간을 만들 때 인생 최고의 순간을 두려움 뒤에 숨겨 놓았다고 했던가. 주저하는 마음, 두려운 마음을 걷어내고 한 발짝 움직였다. 내 인생 최고의 순간은 아직 오지 않았다. 그 순간을 찾기 위해 나는 글을 쓰기로 마음먹었다. 작가가 되기로 결심했다.

작은 도전 다섯, 수원시에 아이디어를 내다

수원시립미술관 도슨트 선생님들과의 카톡방이 있다. 선생님 중 한 분이 모여서 밥 먹고 차 마시며 얘기 나누면 그 비용은 '수원문화재단'에서 제공하니 신청해보라고 링크를 보내 주셨다. 대수롭지 않게 생각하곤 글쓰기를 하고 있었는데 갑자기 개인 톡방으로 노 선생님이 말을 걸어왔다.

"우리 이거 같이 해볼까? 송 선생님도 얘기 한 번 해보고."
"네. 선생님. 제가 연락해볼게요."

그렇게 노 선생님의 제안에 송 선생님과 한 팀이 되어 '솜털씨앗'이라는 팀명을 만들었다. 그리곤 '시티메이커스'(시민이 주도적으로 도시문제를 문화적인 방법을 통해 해결해 나가는 과정을 기록하는 활동)에 지원해 선정되었다.

인생은 생각지도 못한 방향으로 흐르기도 한다. 선생님들과 일주일에 한 번씩 만나며 다양한 아이디어를 모았다. 이왕이면 문화, 예술에 관심이 많은 만큼 수원시에 있었으면 하는 것들을 의논했다. 팀의 대표와 기록은 내가 맡았다.

우리만 알지 말고 모두가 알 수 있게

수원시의 도서관엔 좋은 강좌가 많다. 부모들이 사교육 기관에 목을 매지 않게 하려면 학교, 도서관이 유기적으로 아이들의 활동에 관심을 가져야 한다. 공부만이 자신감이나 자존감을 높이는데 최종이라고 생각하지 않아야 가능한 일이다. 높은 문화 수준은 미술관, 박물관이 유·초등학교와 협업할 때 자연적으로 높아지리라 생각한다. 문화 수준을 끌어올리는 가장 빠른 지름길은 아이들에게 투자하는 일이다.

우리의 아이디어 중 하나는 박물관, 미술관의 예술키트(체험 꾸러미) 퀄리티가 좋으니 초·중·고에 배부해 아이들이 조금 더 수준 높은 교육을 받는 데 도움을 주자는 내용이었다. 실제로 수원시립미술관과 교육지원청, 경기도박물관과 교육지원청이 협업하여 '예술키트'가 초등학교에 배부되었다. 아이가 집으로 가져온 내용을 보니 수업의 질이 한층 높아진 걸 볼 수 있었다. 아이의 만족도도 높았다. 시민의 작은 의견이 직접 반영되어 기뻤다. 그 밖에도 수원시에 전입해 오는 아동들을 위해 '웰컴북'을 만들어 환영의 의미를 전달하고, 수원에 대해 알아가는 과정을 제공해 주자는 의견도 냈다. 이 부분은 '시티플레이어' 활동에 자세하게 적어 두었다.

수원은 영·정조와 혜경궁 홍씨, 실학을 바탕으로 한 정약용의 이야기로 인문학적인 요소를 두루 갖춘 도시다. 서울과도 접근성이 좋다. 그러나 내심 인문학적인 면만 강조되는 점이 아쉬웠다. 미술관에서 전시해설을 하는 입장에서 보면, 수원은 미술관이 네 개나 있는 예술의 도시이기도 한데도 말이다. 그래서 '화성행궁'에서 출발하는 문화·역사 투어뿐 아니라 문화·예술 투어가 마련되면 좋겠다는 아이디어를 냈다. 파리의 문화·예술 투어 패스 개념을 예로 들고 색깔별 노선을 만들자는 의견도 냈다.

'솜털씨앗'의 아이디어

- 광교 달팽이 광장 활성화로 '수원시립 아트스페이스 광교'로의 유입을 늘릴 방안 마련(달팽이 광장에서 프리마켓 열기, 미술관 티켓으로 프리마켓에서 음료 제공받기)
- 문화키트 활용 방안(전국적으로 흩어져 있는 예술 키트를 한데 묶어 수업 시간에 배부, 초등 수업자료로 보충, 키트 낭비를 막을 수 있고 질 높은 수업과 다양한 문

화체험 기회 제공)

- 초·중등을 위한 미술관, 박물관 관람 활성화 방안

- 수원 문화·예술 투어 상품 개발(역사 투어에만 집중된 점을 보완)

- 수원시립미술관 안내 맵을 앱으로 개발(게임식으로 진행하고 포인트 별 굿즈 제공)

- 문화·예술 패스 코스(투어 코스를 시간별로 나누어 색으로 구분하는 패스 개발)

- 학기에 작업한 것을 기록지로 만들어 미술관에 전시하고 잘 만든 선생님께 혜택 제공. 교사 사례로 발표. 전국에 공개하는 방안

미술관, 박물관을 아직도 어려워하는 사람들이 주변에 많다. 수원시가 학교와 연합하여 움직이면 자연스럽게 시민들의 문화 수준이 올라가리라 생각했다. 아이들이 미술관에 가서 놀고, 박물관에 가서 시간을 보낼 수 있다면 얼마나 좋을까. 프랑스에 살면서 다양한 문화 충격을 받았던 기억이 난다. 이탈리아 유치원 '레지오 에밀리아'를 예로 들면, 밀라노가 세계적인 패션의 도시인 이유가 이곳에 있다. 예비 문화도시인 수원이 정식 문화도시가 된다면, 우리나라 문화 수준 자체가 높아질 것이라 예상한다. '솜털씨앗' 멤버들과 다섯 시간이 어떻게 흘렀는지 모르게 많은 이야기를 주고받으며 자연스레 수원에 더 관심을 가지게 되었다. 이런 기회가 오기 전까진 수원에서

초,중,고를 거쳤지만 내가 살고 있는 곳 말고는 별로 아는 바가 없었다. 그렇게 10회차까지 꾸준히 회의록을 작성해 기록으로 남겼다. 모든 기록은 자산이 된다.

기억력이 짧은 내가 이런 일을 하고 있는 게 그저 신기했다. 책임감이 주어지니 가능한 일이 아니었을까? 나의 이런 행보가 아이에게도 긍정의 영향을 주었다.

"엄마, 나 사회 시간에 공공기관과 학교가 협동할 수 있는 일에 대해 발표하는 시간이 있었는데 내가 '문화 키트'에 대해 얘기했어. 수원시립미술관에서 나오는 키트를 학교에 배부해서 아이들과 다 같이 만들면 좋겠다고 했는데 아이들은 이해하지 못하더라고. 근데 난 미술관 수업을 학교에서도 하면 좋겠다는 생각이 들어서 발표했어."

선생님 두 분과 만나서 하는 이야기들을 아이에게 재미있게 들려주곤 했는데 아이도 어느덧 그게 인식이 된 모양이었다. 내가 성장하며 아이도 함께 성장하고 있는 모습을 보고 있는 게 즐겁다. 함께 성장하자. 내 성장이 아이의 성장을, 아이의 성장이 나의 성장을 돕도록. 함께 가는 길이라 언제나 느리다. 느리게 가더라도 평생을 꾸준하게 가기로 오늘도 나와 다짐을 해본다. 끄적이는 작은 일들이 즐겁다. 시민의 아이디어에 귀를 기울이는 일은 참 잘하는 행정이라 생각한다.

작은 도전 여섯, 시민 대표가 되다

나의 시민 대표 자리는 이렇게 시작됐다. 도슨트 선생님 한 분의 카톡 메시지로 수원문화재단 '시티 메이커스' 지원 활동(시민이 주도적으로 도시의 문제를 문화적인 방법을 통해 해결해 나가는 과정을 기록하는 활동)을 시작했는데 전반적인 작업을 내가 맡아야 했다. 그렇게 '솜털씨앗'이라는 팀의 대표가 되었다.

수원은 예비 문화도시 4년 차로 시민들의 의견이 반영된 아이디어를 모으고 있었다. 그 일원으로 '수원시민 협의체' SUWON을 거꾸로 한 'NOWUS'라는 이름의 단체가 만들어졌고, 수원문화재단의 지원 활동을 하는 사람들을 대상으로 시민리더를 모집한다는 문자를 보내왔다. 함께 팀을 하고 있던 도슨트 선생님 한 분이 시민리더로 지원했다는 얘길 듣고 나도 해야 하는 줄 알고 덩달아 지원하게 되었다.

어찌된 일인지 나와 선생님들은 서로 다른 분과에 지원되었고 나는 일면식이 없는 사람들과 함께 리더를 뽑는 자리에 이름이 올라 있었다. 공정한 시민 투표로 총 30명의 리더를 선발하였는데 나는 많은 표를 받은 10명의 리더 중 한 사람에 포함되어 있었다. 그렇게 분과별로 뽑힌 총 30명의 리더가 모여 분과의 장을 뽑는 자리가 마련되었다. 작은 메모지에 이름과 키워드 세 개씩을 적고 돌아가며 발표하는 시간이 주어졌다. 들어보니 무슨 회사 대표, 연구소 대표, 서점 대표, 어디어디 리더, 색소폰 동호회 회장님, 인문학 강사 등 모두 시민 리더가 되기 충분해 뽑혀 온 분들이었다. 그곳에 내가 있다는 게 신기할 따름 이었다.

자기소개 시간.

"안녕하세요. 저는 김상래입니다. 저는 솔직히 '분과'를 잘못 체크해서 온 케이스입니다. 이곳에 아는 분들도 하나 없고요. 최근까지 미술관 도슨트로 활동 중이었고, 브런치에 글을 조금씩 쓰고 있고, 작가가 되고 싶은 꿈이 있습니다. 얼마 전 '시티메이커스' 활동을 하며 초등학교에 미술관이나 박물관 키트를 연결하는 아이디어에 대해 선생님들과 논의하고 있었습니다. 문화도시가 되기 위해서는 어린 학생들의 문화 수준부터 올리는 것이 중요하다고 생각합니다. 또 초등학교 4학년 아이를 둔 엄마이기도 합니다. 만나 뵙게 되어 반갑습니다."

어디 소속이 있는 것도 아닌, 그저 수원 시민으로 간 자리였기에 다른 분들처럼 딱히 내세울 만한 것이 없었다. 다수결로 분과장을 뽑는 자리. 최종 두 명의 점수가 비슷했다. 그 두 명 중 하나가 내가 되어 있었고, 분과장이 된다면 어떻게 하겠느냐란 질문에 답해야 했다.

"생각지도 못한 곳에서 분과장으로 추천해 주셨는데 제가 만약 분과장이 된다면 이곳에서 나온 좋은 의견들을 잘 취합해 전달해 드리는 역할을 하겠습니다."

말한 그대로다. 나는 별로 아는 바가 많지 않았기에 할 수 있는 일이란 그것뿐이었다. 그런데 어찌 된 일인지 내가 분과장이 되었다. 각 과의 분과장들은 앞에 나가 한 사람씩 소감을 발표하고 인터뷰 영상을 촬영했다. 도슨트를 할 때는 그렇게나 떨리던 것이 이번엔 헛웃음만 연신 나고 이게 무슨 상황인가 싶었다. 무슨 마음을 먹고 꼭 뭘 해봐야겠다는 각오로 간 게 아니라 오히려 편안하게 있었는데 또 한 번 감투가 씌워지던 날이었다.

아직도 나는 어떤 타이틀이 주어지는 일이 부담스럽다. 그럼에도 끊임없이 도전하는 이유는 내 곁의 아이에게 엄마도 계속 도전하고 있다는 걸 보여주고 싶기 때문이다. 그 작은 도전이 어떤 결과로 이어지면 '아~어떻게 하지?' 하다가도 회장, 부회장 후보로 추천받고도 계속 기권하는 아이에게 엄마는 누군가가 추천해 주면 기권하지 않고 끝까지 열심히 하는 모습을 보여주고 싶어서였다. 역시 원해서 맡게 된 자리는 아니었지만 좋은 분들의 의견을 제대로 취합해 전달했다. 아파트 임시 입대의 대표를 맡았던 2016년 그때처럼.

보통의 아이는 아빠보다 엄마와 더 많은 시간을 보낸다. 엄마가 소극적인 모습으로 인생을 살아간다면 아이는 변할 길이 없다. 여전히 내게 달린 어떤 타이틀이 무척이나 부담스럽다. 나는 누구보다 자유로운 영혼을 가진 예술가니까. 하지만 열심히 해볼 생각이다. 또 누가 알까. 아이가 다음 학기엔 회장, 부회장 후보로 추천받고 기권하지 않을는지….

회장이 되고 부회장이 되는 일은 중요하지 않다. 두려운 마음을 떨치고 도전해 보는 용기, 별거 아니게 생각하는 그 마음을 아이도 갖게 되기를 바라고 있다. 헛웃음이 나던 일들이 내 인생의 또 다른 에피소드를 만들어 주었다.

"하하~ 유한아 엄마 오늘 분과 대표가 됐다? 너무 신기하지 않니?"

"엄마는 뭐만 하면 다 되더라. 난 엄마가 될 줄 알았어. 축하해!"

그렇게 시민 리더가 되고, 시민 대표가 되어 수원 문화도시 운영위원회 위원이 되었다.

작은 도전 일곱,
생활문화활동가 '똑똑학교' 수강생이 되다

'똑똑학교'는 경기문화재단 경기생활문화센터에서 생활문화활동가를 양성하기 위해 처음 시도된 과정이다. 꼼꼼하게 지원서류를 준비해 1차 서류를 통과하고 2차 면접을 통해 최종 합격이 되었다.

똑똑하게 만들어주는 학교일까?
'똑똑'하고 문을 두드림을 의미하는 것일까?

수업시간 마다 준비된 작은 선물 보따리는 '경기상상캠퍼스'를 찾을 때마다 감동의 선물이 되어 찾아왔다. 선물은 비단 준비된 음식뿐만이 아니었다. 수업 때마다 바뀌는 내 자리의 문구들이 음식 보따리보다 가슴 설레도록 좋았다. 다녀올 때마다 기록해 둔 문구는 아래와 같다.

삶의 동력을 일깨우고 내일을 기대하는 마음
소중한 내 일상을 강렬하게 안아보는 오늘
한 번도 경험하지 못한 매일을 함께 생각하는 우리

꼭 필요한 말들을 꼭 필요한 시간에 만나는 의미 있는 나날이었다. 그곳에서 받은 질문 중 기억에 남는 부분을 남겨 본다.

"나를 살아있는 것에 비유해 보면 어떤 게 떠오르세요?"
"소나무와 다람쥐요."
"왜 그렇게 생각하세요?"
"소나무는 늘 푸르게 변함없이 자리를 지키고 있어요. 여름엔 그늘도 만들어 주고 귀여운 다람쥐들이 놀이터로 쓰기도 하잖아요. 저는 그런 사람이 되고 싶습니다."

나도 몰랐다. 내가 그런 사람이 되고 싶은 줄. 즉석에서 일어나는 모든 질문에 내면 깊은 곳의 내가 목소리를 내고 있었다.

"자, 이제부터 주변에 계시는 선생님들께 어울리는 색 스티커를 붙여 주시면 됩니다. 돌아가면서 자유롭게 붙여 주세요."

나에겐 유난히 초록색과 노란색 스티커가 많이 붙었다. 초록색과 노란색이 많이 보이는 사람. 그렇다면 꿈과 희망을 품은 자라나는 꿈나무 정도? 역시 꿈보단 해몽이 좋다.

한 번은 '내 짝꿍 최영대'라는 동화책을 듣고 등장인물 간의 거리를 나타내 보는 수업이 있었는데 내가 생각하는 차별이나 편견에 대한 거리를 단적으로 보여주는 수업이었다. 나는 권력자를 가장 먼 곳에, 어린아이를 가장 가까운 곳에 표시했다. 역시 계획한 바 없이 자연스럽게 나온 다양성과 소수성에 대한 나의 생각을 엿볼 수 있는 의미 있는 시간이었다.

서는 데가 바뀌면 풍경도 달라진다지 않나. 내가 찾는 곳이 바뀌니 듣는 이야기가 달라지고 쓸 이야기도 달라졌다. 내 의지로 바꾼 환경에선 뭘 선택해도 그다지 나쁘지 않았다. 환경을 바꾸고 사람을 바꾸면 인생이 바뀐다는 말을 실감하게 되었다.

세계최초로 여성이 목소리를 낼 수 있게 된 건 남녀평등과 여성해방운동이 있었던 프랑스 68혁명 이후였다. 지금도 주변의 가부장적인 남자들이 많아 답답함을 느낄 일이 많은데 그 시절엔 어떻게들 견디며 살았는지 모르겠다. 당장 우리 엄마만 봐도 그렇고. 2대 독자 우리 아빠도 참으로 그 시대의 일반적인 남자에 속하지만, 주방에서 요리하는 일만큼은 엄마처럼 잘하셨다. 지금도 아빠가 해주는 떡볶이와 등갈비찜, 아빠표 삼겹살은 따라올 자가 없다.

어릴 때 아빠는 커다란 텐트 하나를 짊어지고, 나와 동생들은 나누어서 달그락달그락 코펠이며 버너를 들고, 엄마는 갖은 음식을 준비해 캠핑을 다녔다. 말이 캠핑이지 지금의 캠핑과는 차원이 다른, 그야말로 야생 캠핑이었는데 아빠가 요리해준 음식을 맛있게 먹었던 기억이 난다. 주로 직접 잡아오신 생선으로 만든 매운탕이었는데 우린 그 안에 넣고 함께 끓인 라면을 주로 건져 먹었다. 가만히 생각해보면 캠핑 때 엄마는 어디에 가 계셨나 기억이 안 난다. 캠핑 가면 아빠가 다 알아서 하셨으니 그날만은 엄마가 쉬는 날이었다는 사실을 아이를 낳고 한참 지나고 나서야 엄마에게 듣게 되었다.

어찌 되었든 여성들이 목소리를 낼 수 있게 된 게 겨우 50년이 조금 넘었다는 거다. 얼마나 어렵게 주어진 존재감인가. 소중한 내 존재를 강하게 느끼며 살고 싶어지지 않나. 신기한 건 강의를 들으면 들을수록 학생이 되는 게 아니라 자꾸만 강사분 자리에 내가 앉아 있는 상상을 했다는 거다. 혼자 있을 때 해야 할 상상이 자꾸 현실에서 오버랩 돼 버리니 이것도 병이다, 병.

다른 인생을 살고 싶어서, 새로 시작하고 싶어서 도전한 '똑똑학교'에서 내가 질문마다 손을 번쩍번쩍 드는 열혈 수강생이었던 건, 다시 태어나면 그리 살기로 마음먹었기 때문이다. 인생 2막은 그렇게 새롭게 태어난 사람처럼 적극적으로 존재감을 팍팍 드러내며 살아 보고 싶다.

Memento mori, Amor fati. **메멘토 모리. 아모르 파티**

(라틴어로 '죽는다는 것을 기억하라'와 니체가 말한 '운명을 사랑하라'의 결합으로 인간은 언젠간 죽음을 맞이하니 지금을 소중하게 살아가라는 뜻)

작은 도전 여덟, 아이와 함께 동화책을 출간하다

머리가 지끈거리고 잠이 오지 않던 밤. 아이 몰래 일어나 노트북을 켜고 흘러온 시간을 돌이켜봤다. '노키즈존'이라는 주제로 업주를 대상으로 한 인터뷰를 진행하느라 '솜털씨앗' 멤버들과 만남을 이어오고 있었다. 그날도 우리는 지역의 사회문제에 관해 열띤 토론을 벌이던 중이었다.

"선생님, '시티플레이어' 공지 떴던데 이것도 한 번 해볼까요? 이게 '시티메이커스'를 진행했던 팀에 한해 선발 자격을 준대요. 다양하게 냈던 아이디어 중 하나로 지원 사업에 도전해 보면 어떨까요? 왠지 또 될 것 같아요. 저 요즘 뭔가가 다 될 것 같은 느낌이 팍팍 들어요. 촉이 와요, 촉이. 하하."

"그래? 내가 또 좋은 아이디어가 있지. 내가 아이디어 뱅크잖아."
"김 작가 일이 너무 많아지는 거 아니야? 우리야 괜찮은데 김 작가 괜찮으면 진행해 보자."
"되든, 안 되든 한 번 도전해 봐요. 되고 나서 생각해도 되니까요."

'시티메이커스'를 하며 냈던 아이디어 중에 우리가 실천할 수 있는 주제를 하나 정해 지원서를 작성하고 메일 버튼을 눌렀다. 삼백만 원 지원 사업. 매달 한 번씩 만나 다양한 아이디어를 쏟아내며 팔만 원씩의 지원 활동비를 받은 거에 비하면 금액이 커졌다. 활동에서 사업이라는 큰 타이틀로 바뀌었다. 인생 2막을 위해 작가로 살고자 매일 글을 쓰고 있던 나. 대학에서 학생들을 가르치던 노 선생님, 아이 셋에 시부모님 모시느라 미술에 대한 열정을 쏟을 기회가 없으셨던 송 선생님. 우리는 모두 자신의 자리에서 최선을 다해 살아온 40대, 50대, 60대의 여자들이었다. 엄마로만 살기에 가슴에 품은 열정이 가득한 여전히 불타는 청춘.

'이번 지원 사업에 선정되셨습니다.'

바로 선생님들께 카톡을 드렸다.
"선생님들~ 저희 또 됐네요. 하하. 이거 뭐만 하면 계속되는데 어떻게 할까요?"

"좋았어. 해보자."

"일단 질러봅니다. 죽이 되든 밥이 되든 시작해봐요. 재미있을 것 같아요. 동화책도 만들어보고 기회가 좋은데요?"

선생님들과 머리를 맞대고 본격적인 기획을 해나갔다. 글은 내가 쓰기로 하고 그림을 그리고 색을 입히는 일은 아이와 함께하기로 했다. 다시 대학생이 된 기분이 들었다. 사회 초년생의 열정 가득한 자세가 되었다. 남들과 다른 길에서 헤매던 때가 있었다. 간절함과 절실함이 내려앉은 시간엔 모든 게 그렇게나 감사하게 다가왔다. 다시는 내게 그 어떤 기회도 주어지지 않을 줄 알았다. 하나씩 차근차근 조그만 시도들이 다시 일어설 수 있다는 믿음을 만들어주었다.

아이와 함께 동화책 작업을 하느라 일하는 스트레스를 오랜만에 받았다. 머릿속은 원고를 쓰던 일에서 동화책으로 온통 세팅이 되어버렸다. 처음 계획은 내가 글을 쓰고 아이와 함께 그림을 그리자는 계획이었는데 하다 보니 이런저런 사족이 붙어 어른의 설명 문집이 되어 버렸다. 아이들이 좋아할 만한 동화 느낌이 사라져 버렸다. 결국, 평소 책을 좋아하는 아이에게 내용을 맡겼다. 수원의 모든 곳을 소개하기엔 시간이 부족했고, 정해진 날짜에 그나마 퀄리티를 지키자면

한 달 안에 작업이 끝나야 했다.

온종일 동화책 생각뿐이었다. 새벽 3시에 일어나 자료를 찾고 기록하는 일. 모닝페이지를 적는 일보다 우선순위에 두고 있었다. 잘 해내고 싶었다. 내 이름이 걸린 일에 대충이란 없었다. 의미 있는 일을 해보자. 내가 어린 시절 받았던 좋았던 경험을 다양한 사람들과 나누고 싶었다. 아이를 키우며 나를 키우고자 했던 목표가 엄마가 크니 아이도 덩달아 크는 반전을 거듭하고 있었다. 건강하고 바른 생각을 품으며 살아야 하는 이유가 거기에 있다.

동화책 작업은 가족과 돈독한 시간을 가지는 계기가 되어주기도 했다. 가령, '머메이드지'에 아크릴 물감으로 여러 색을 칠해 색종이류의 도화지를 수없이 만들어야 했는데, 수원의 사대문을 그리고 그 위에 물감칠한 도화지를 오려 '컷아웃' 스타일의 그림들을 완성하는 일이었다. 주말 내내 다섯 시간을 꼬박 가족들이 온 집안에 물감칠한 도화지를 늘어놓고 칠하고 말리면 나는 그중 그림과 구성이 맞는 부분을 오려 붙이며 그림을 완성해 나갔다.

장시간 앉아 동화책에 들어갈 원화들을 만드느라 가족들 식사도 제때 차려 주지 못하고 음식을 배달시켜 먹기도 했다. 그렇게 근 한 달간을 애쓰고 있는 나를 위해 남편과 아이가 최선을 다해 손발 착착 맞춰가며 소중한 시간을 함께 해준 덕에 제때 그림을 완성했다. 밤 열 한시가 넘도록 컴퓨터로 후반 작업을 하면서 무척 진을 뺐다. 원고를 쓸 에너지가 없어 개인적으론 엄청난 스트레스를 받기도 했다.

시간은 흐르기 마련이다. 그렇게 열심히 만든 동화책을 인스타에 올렸더니 생각보다 반응이 좋았다. 주변에 아이를 키우는 엄마들이 읽고 싶어 했고 작은 도서관, 유치원 등에서 같은 반응을 보내왔다. 수원을 더욱 쉽고 재미있게 알아갈 수 있는 동화책으로 좋을 것 같다는 반응도 있었다. 이러한 내용을 '수원문화재단' 쪽에 전달하고 재능기부 의사를 밝혔다. 더 많은 아이가 읽게 된다면 그간 힘들었던 일이 보람이 되어 돌아올 것 같았다. 아이의 눈높이로 수원을 바라본 글이라 어렵지 않게 다가갈 수 있으리라 생각했다.

지원사업이 끝난 후, 우리가 만든 동화책은 '수원문화재단'의 더 많은 지원을 받아 수원에 있는 어린이집, 유치원, 작은 도서관, 초등학교에 수업자료로 배부될 예정이다. 수원에 있는 아이들에게 산타 할아버지의 선물처럼 마음 따뜻한 선물이 되었으면 좋겠다. 내게도 오랜만에 그림을 그리느라 연필을 잡아보는 귀한 시간이었다. 작가가 되면 그림을 그리자 했던 차에 녹슨 톱니바퀴 하나에 기름칠하는 계기가 되어 힘들었지만 뿌듯한 시간이었다.

아내, 엄마, 주부로만 살기에 내 안에 아직 많은 것들이 꿈틀거리고 있음을 알고 있다. 어떤 기회에도 최선을 다해 감사한 마음으로 임할 것을 이제는 안다. 많은 기회가 폭우처럼 쏟아지던 2021년. 하늘이 내게도 기회를 주는구나, 이 기회가 나에게 큰 자양분이 되겠구나, 진득하게 하다 보면 내게도 좋은 날이 오겠구나 싶었다. 무언가 다시 시작하기에 마흔다섯은 아직 늦지 않은 나이였다.

엄마들이 결혼하고 아이를 낳고 키우며 사라진 자신을 다른 것들로 채워간다. 백번 이해한다. 젊은 엄마들이라면 더욱 그럴 수 있으리라 생각한다. 내 인생은 많이 돌고 돌았다. 한 번에 가는 법이 없었다. 어떤 길을 선택할 때마다 유별나다는 소리를 듣고 살았다. 그렇게 없는 길을 새로 만들어 가느라 외롭고 힘들었다. 나보다 힘든 시간을 보내고 있는 사람들이 더 많을 거라 생각한다.

집중할 거리를 찾는 게 가장 중요하다. 아이와 남편에게 집중하던 시간을 동네 엄마들과 만나, 더 좋은 곳에 써보는 건 어떨까? 모여서 커피 마시면서 시댁 뒷담화 하고 아이들 성적 얘기에 요즘 유행하는 교재 얘기 말고, 학원을 더 보내지 못해 아이를 괴롭히는 얘기 말고.

자신을 위한 얘기를 해보면 어떨까. 만나는 시간이 자주 있다면 모여서 운동을 하는 것도 좋겠고, 책 모임을 하거나 시간을 정해서 글을 써보는 것도 추천한다. 사는 곳 근처 주민센터나 도서관, 문화재단 홈페이지에 들어가 보는 것도 좋은 방법이다. 우리 엄마들이 할 수 있는 일이 무궁무진하다. 모여서 차 마시고 수다 떠는 데 들어가는 비용을 한 달만 계산해도 지출이 꽤 크다. 나는 그 시간을 내게 쓰고 싶어 따로 모임을 갖지 않았지만, 사람은 각기 다름을 인정한다. 만약 자주 만나는 모임이 있다면 지원금을 받아서 커피값도 내고 밥값도 내며 건강한 수다를 만들어 가는 건 어떨까?

그렇게 하고 싶은데 방법을 잘 모르겠다면 개인적으로 연락을 해와도 좋겠다. 방법은 정말 많다. 가계를 구멍 내지 않고도, 꼭 누군가의 험담을 즐기지 않아도 다섯 시간씩 좋은 얘기를 할 방법이 있다. 그렇게 모임이 만들어지면 일거리도 자꾸 생긴다. 물론 그게 내 살림에 직접적인 보탬이 되지는 않는다. 하지만 적어도 불필요한 시간을 가계 지출비로 쓰지 않아도 되니 정정당당하게 차 마시고 밥 먹을 수 있다. 그렇게 만나서 나눈 얘기들을 문서 작업화하는 일이 있지만, 이것도 어렵지 않다. 나도 아무것도 모른 채 시작했고, 하다 보니 자연스레 글 쓰는 시간이 많아졌다. 글 쓰는 작가로 살고 싶다는 꿈을 이루는 데 큰 역할을 해준 셈이다. 그러니 꼭 모여야 한다면 집

근처 지원활동과 지원사업에 관심을 가져 보면 어떨까? 엄마가 건설적인 모임을 하는 티를 팍팍 내면 아이의 어깨도 덩달아 올라간다. 우리 엄마 무슨 대단한 일 하는 줄 알고 눈빛을 반짝이곤 한다. 자연스레 아이 공부에 대한 잔소리도 줄어든다. 그렇게 부모와 자식 사이도 더 돈독해지는 긍정의 결과를 가져온다. 손해 볼 게 하나도 없다.

엄마들에게 열려있는 곳이 많다. 잘 몰라서 하지 못한다. 특별한 사람들만 할 수 있다는 인식을 바꿀 필요가 있다. 누구나 할 수 있고 그래서 특별해질 수 있다. 그냥 엄마로만 살지 않았으면 좋겠다. 아이가 크는 동안, 남편이 자리를 잡아가는 동안, 나도 한땐 꿈꾸던 청춘이었다는 걸 기억하자. 나도 한땐 빛나는 여자였다는 걸 깨닫는 시간이 주어진다. 부모님이, 조부모님이 예쁘게 지어준 내 이름이 있지 않은가. 각자의 이름대로 빛내며 살면 좋겠다. 또 누가 아나. 지원 활동, 지원 사업을 하다가 대표가 될지도. 작가, 화가, 사장님, 예술가. 뭐가 될지 아무도 모른다. 시작은 끝과 연결되어 있다. 불필요한 끝냄이 필요하면 그렇게 해서라도 일단 시작하면 좋겠다. 시작하는데 모든 비밀이 숨어있다. 옷장 문을 열기 전엔 다른 세상이 있다는 걸 알 수 없다. 나니아 연대기의 루시처럼 우선 활짝 옷장 문부터 열어 보는 건 어떨까? 값비싼 명품 대신 하루하루 간직할 의미 있는 순간을 모을 수 있기를 바란다.

작은 도전 아홉,
버스정류장 인문학 글판에 공모하다

2021년은 내게 있어 소중한 기회가 비처럼 쏟아지던 한 해다.

원고를 쓰고, 동화책을 만들면서 지나는 말로 송 선생님께 들었던 '버스정류장 인문학 글판' 공모 소식을 우연히 수원시청 블로그 공지 알람으로 보게 되었다. 오래된 일도 아닌데 그 경로가 벌써 정확지 않다. 아이와 학교 가는 길에 본 버스정류장 한편에 적혀있던 글이 떠올랐다. 나도 한 번 도전해 볼까? 그렇게 작은 도전을 또 한 번 실행에 옮겼다.

수원시는 매년 상 · 하반기에 걸쳐 '버스정류장 인문학 글판' 창작글을 공모한다. 버스정류장을 지날 때마다 한쪽 벽면에 쓰인 글귀를 읽으며 마음의 온기를 전해 받곤 했는데 설마 내가 이곳에 공모하게 될 줄은 꿈에도 몰랐다. 주제는 코로나19로 지친 시민들에게 응원의 메시지를 130자 이내로 적어 보내라는 거였다. 무언가 또 느낌이 좋았다. 작은 도전을 이어가자는 마음으로 공모전에 짧은 글 하나를 보냈다. 아이도 글 하나를 적어 청소년부에 함께 공모했다.

'귀하께서 공모하신 창작 글이 2021 하반기 버스정류장 인문학글판으로 최종 선정되어 연락드립니다.'

늘 그렇듯 다른 일을 하면서 까맣게 잊고 있었다. 메시지대로 수원시청 홈페이지에 들어가 확인을 해보니 선정된 것이 맞았다. 버스 정류장을 지날 때마다 전해져 오는 그 온기의 자리 어딘가에 내 글이 실리는 거다. 작은 도전이 가져온 예상치 못한 성과에 또 한 번 자존감의 게이지가 올라갔다. 아쉽게도 아이의 글은 선정되지 않았다. 사실 아이 글을 읽으며 너무 철학적이고 어른스러운 글이라 초등학교 4학년이 썼다는 생각을 주최 측에선 하기 힘들게 빤했다. 그렇다고 아이가 쓴 글답게 수정을 보는 일은 하지 않는다. 아이들의 글은 그때의 온전함으로 있어야 빛이 나는 법이니까.

엄마만 선정되고 자신의 글은 선정되지 않아, 아이 기분이 별로였다. 수준 높은 글을 이해 못 하는 어른들의 불찰이라고 아이를 다독거렸다.

그러면서 "엄마 책 나오면 네가 쓴 글도 묶어서 따로 책으로 만들어줄게. 조금만 기다려줘. 엄만 지금의 네 글이 좋아."라고 얘기했다. 아이는 뒤끝 없이 그저 순하게 엄마의 말을 수긍했다.

수원의 어느 버스정류장에서 이런 글을 만나 당신의 아이가 얼마나 빛나고 있는가를 알게 된다면 나는 그것만으로도 참 좋겠다.

나의 햇살

밝디밝은 아이야.
찬란한 세상에
너보다 더 눈부시게 밝은 것이 있기나 할까.
부디 이 아름다운 세상에서
쉬이 부서지지 말고 빛으로 살아주기를
네 인생을 뜨겁게 살기를 엄마가 기도할게.

사랑하는 아이에게 엄마가

태양을 느끼며 자라는 아이의 인생이 자신만의 빛을 내며 뜨겁게 살아갈 수 있기를. 과도한 경쟁에 휩쓸리지 않고, 엄마와 함께 책이라는 물 위를 떠다니며 보낸 수많은 시간 아이는 쉼표를 가질 수 있었고, 엄마인 나는 아이의 여유로움을 볼 수 있어 좋았던 시간으로 남겨둔다.

아이가 어린 시절 해야 할 것의 우선순위는 학원 순회가 아니라 엄마, 아빠와 하는 좋은 경험이다. 아이에게 높은 하늘을 날게 하는 방법은 날개를 활짝 펴고 바람을 거슬러 날 수 있는 방법을 알려주는 거다. 스스로 날아오를 수 있도록 자신의 철학으로 뿌리가 단단한 아이로 성장할 수 있도록 도와줘야 한다. 그게 부모의 소명이고, 내 존재의 첫 번째 이유기도 하다. 그런 마음을 담아 쓴 짧은 글이 버스를 타고 오고 갈 사람들에게 다정한 온기가 되어주었으면 하는 작은 바람을 가져 본다.

작은 도전 열, 사업계획서를 작성하다

요새는 블로그보다 인스타를 더 자주 둘러보게 된다. 귀신같은 알고리즘이 내 관심사를 찾아내고 불러들이지도 않은 나의 뇌구조를 그럴듯하게 재현한다. 그렇게 처음 보는 사람들과 그 안에서 결이 비슷한 어떤 것들을 마주하게 된다. 재현된 것들은 주로 책방이나 표지가 예쁜 책들, 그리고 아이들과 미술놀이를 할 때 해보고 싶은 어떤 프로그램 같은 것들이다. 나는 거기에 내 상상의 나래를 덧입혀 본다. 나만의 공간이 생기면 아틀리에를 운영해 봐야지. 언제나 그렇듯 그저 막연한 생각으로 꿈이란 것에 조금씩 공기를 불어 넣으며 살아간다.

어린 친구들에게 가만가만 앉아 책을 읽어주고 고사리 같은 손으로 동그라미, 네모, 지그재그를 마음껏 뽐내며 세상 하나밖에 없는 예술가로 노는 모습을 보는 상상을 한다. 내가 준비한 예쁜 동화책 그림을 설명해 주고, 생전 처음 들을 프랑스어로 예쁜 단어들을 읽어주면 아이들은 생경한 단어에 서로 눈을 꿈뻑거리고 있을 그 시간을 말이다. 동네방네 경력단절 여성들을 모아 책 하나 정해 함께 읽고 쓰면서 작은 것들을 나누고 일상을 두루 얘기하다가 그 어느 누군가는 책을 출간하게 되고, 또 비슷한 꿈을 꾸며 자신들도 할 수 있는 거였다며 함께 기뻐하는 그런 모습도 상상해 본다. 사실 뭐 대단한 꿈을 꾸고 있는 것은 아니다.

누군가의 강의를 들을 때면 난 수강생보다는 강사 자리에 내가 있는 모습을 상상했고 여행을 다니며 독립 책방에서 책을 살 때도 손님의 입장이기보다는 늘 그곳에 내가 있으면 어떨까? 하고 나를 앉혀 보곤 했다. 언젠가 화가가 된다면 나만의 작업공간에서 그림을 그리면서 사는 것은 어떨까? 좋아하는 음악을 들으며 내 안에서 흘러나오는 모든 것을 마음껏 표현해 보는 상상을 했었다.

집에서 멀지 않은 곳의 경기상상캠퍼스(생활문화와 청년문화가 혼합된 복합문화 공간으로 다양한 문화·예술인들이 작업하는 공간)에 가족들과 종종 놀러 간 적이 있었다. 봄철엔 플리마켓이 열리거나 날씨가 좋을 땐 텐트를

칠 수 있고, 돗자리를 깔고 피크닉을 즐길 수 있는 곳이다. 그곳을 찾을 때면 자연과 함께 한적해 보이는 곳에서 일하면 얼마나 좋을까? 언제나 그렇듯 막연한 생각을 품었다.

경기문화재단 경기생활문화센터에서 생활문화활동가 똑똑학교 수강생이 되며 희미한 꿈에 대한 비전을 키워갔다. 무조건 보이는 곳에 내 비전을 적어두고 입 밖으로 내야 이루어진다고 어느 책에선가 읽은 기억이 있다. 모닝페이지를 열 때마다, 사람들을 만날 때마다 그곳에 들어갈 것이라고 선전포고를 하고 다녔다. 어떤 계획이나 목표가 생겼을 땐 자주 보고 각인시켜야 이루어짐을 몇 번의 씨앗을 심으며 깨달은 바가 있어 이번에도 같은 방법을 활용했다. 설령 단번에 들어갈 수 없다 해도 그 언저리에서 무언가 하게 될 테니까. 그렇게 느닷없는, 그저 막연한 내 희망의 씨앗을 하나 더 심어 보기로 했다.

내겐 화장을 하고 지우는 화장대라는 게 별 필요가 없다. 그렇다면 나만의 공간으로 주방도 좋고 거실도 좋지만 버지니아 울프가 말하던 진정한 나만의 방, 나만의 슈필라움(여유공간)이 생긴다면 나 자신과 더 가까이서 대화할 수 있지 않을까? 온전히 내 독립된 자의식의 공간을 가져보기로 했다. 그렇게 다양한 일을 하며 경기상상캠퍼스 신규 입주자 모집 공고가 공지되길 기다렸다. 거저 이루어지는 것은 없었다. 하나씩 차근차근 그 단계를 밟아야 했다. 신청서를 다운로드해 보니 13페이지짜리 사업계획서의 빈 공간이 막막하게 다가왔다.

꿈이라 이름 붙인 것들 앞엔 언제나 희뿌연 안개가 가득 메워져 있을 뿐이다. 매출 그래프를 만들어야 한다는데 어떤 아이템으로 접근해 얼마부터 얼마까지 채워 넣어야 할는지 알 수 없었다. 나무의 밑동 보다 더 깊은 곳에서부터 생각해야 했다. 책을 내겠다 마음먹었을 때처럼. 그곳이 내게 왜 필요한지부터 정립하고 그곳에 들어가게 된다면 하고 싶은 것은 무엇이고, 그 일들을 어떤 방법으로 수행해 나갈지 아주 기초 단계부터 생각하기 시작했다. 평소에 내가 좋아하는 것이 읽고 쓰는 것, 아이들과 미술놀이를 하고 싶은 것이라면 그것들을 녹여 보자. 기존에 책방은 너무 많고 모든 책에 관심을 두고 있는 것은 아니니 내가 좋아하는 쪽으로 생각을 좁혀 나갔다. 예술, 미술, 아트 책방이면 내가 그곳에 있다는 상상이 어울렸다. 아트 책방에서 미술 관련 서적과 소장하고 싶은 예쁜 책들을 구비해 소소하게 판매하면서 특별한 일이 없을 땐 실컷 그 책들을 읽고 영감을 받아 글을 쓰면 얼마나 좋을까? 아뜰리에를 겸하게 되면 아이들과 책도 읽고 그림도 그리면서 그곳에 진열된 책 중에 수업에 활용할 책을 선별해 미리 수업자료를 만들어보는 것도 좋겠다고 생각했다. 이렇듯 살이 점점 붙어 생각지도 못하게 나름의 계획을 세워갔다.

나는 늘 계획적이지 않게 프로그래밍 되어 있다고 생각했는데 사업계획서를 작성하다 보니 생각보다 꽤나 계획적인 인간인 것 같아 뿌듯하기까지 했다. 내가 이런 계획을 가지고 있었구나. 나도 모르게 흠칫 놀라 입꼬리를 크게 귀에 걸어두고 있었다.

이런 식의 공상이 나를 살아가게 한다. 내게 힘을 준다. 나아가게 한다. 지극히 개인주의적인 내 성향상 시작될 일을 생각하면 분명히 힘든 부분도 있지만 그런 공상이 무언가에 자꾸 도전하게 만든다. 그렇게 나도 몰랐던 계획들로 13쪽짜리 빈 사업계획서(정확히 말해서는 입주 신청 계획서라고 해야 하는 게 맞을 것 같다.)를 며칠 만에 46쪽으로 만들었다. 최종 보내기 버튼을 누르기 전에 신랑에게 먼저 서류를 내밀었다.

"여보, 나 이것 좀 봐줘 봐. 쓴다고 썼는데 도무지 매출 쪽은 자신이 없어. 쓰다 보니 하고 싶은 게 많더라고. 불필요해 보이는 부분도 얘기 좀 해줘 봐."

"이건 없어도 될 것 같은데? 이쪽으로는 관련 없는 이력이니까."

"그래. 더 뺄 건 없을까?"

"개인 정보 노출되면 안 되니까 여기도 삭제하고."

"오키. 나머지는?"

"하고 싶은 게 확실해 보이네. 잘 썼어."

"나 잘 될까? 정말 들어가서 뭔가를 다시 시작해 보고 싶은데."

"그럼. 이렇게나 열심히 쓰고 하고자 하는 바도 확실한데 잘될 거야. 내가 서류 검토했으면 당신은 바로 합격!"

나는 한꺼번에 여러 가지에 에너지 쏟는 걸 힘들어하면서도 여러 일을 동시에 진행하고 있었다. 어느 것 하나 소홀히 할 수 없는 어떤 책임을 부여받은 것처럼. 인생 2막은 이제부터 시작이라고 정해놓고 성실하게 삶을 이끌어 가고 있으니 당연한 일이었다. 가끔 그런 생각이 든다. 돈에 대해선 그다지 큰 욕심이 없으면서도 무언가 알아가는 어떤 것에는 똘똘 뭉치게 되는 우리 부부가 만약 조선시대에 태어났다면 함께 독립운동을 하는 동지였을 거라고 말이다. 손발이 어찌나 척척 맞는지.

작은 도전, 아주 작은 씨앗을 순서대로 심다가 이번에는 그간의 도전보다 조금 더 큰 도전을 하고 있다. 곧 1차 서류 결과가 있을 테고 합격이라면 면접용 자료 준비와 면접 준비를 해야 한다. 떨어지게 되더라도 내년에 기회가 있으니 한 번 더 도전해 볼 생각이다. 열심히 임한 결과에 대해선 미련을 두지 않기로 했다. 최선을 다했으면 나는 그 안에서 충분히 성장했으리라 믿으니까.

비본질적인 삶의 부스러기들을 털고 버림으로써 본질적인 삶을 이룰 수 있다_법정

일이 놀이가 될 수 있으려면 내가 정말 좋아하는 것을 찾고 불필요한 것들을 제거해야 한다. 덜어내야 한다. 그렇게 오롯이 남겨진 내 본심으로 인생 2막을 시작하면 그 안에서는 성장만 존재하리라. 실패해도 실패하지 않은 것이 된다. 어떤 것에서든, 무엇이든 얻을 각오가 되어 있으니까. 그렇게 나는 또 하나의 도전으로 간절히 원하던 나만의 공간을 가져보기로 했다. 모든 게 불확실하다. 그럼에도 용기 내어 그 상황에 뛰어드는 내게 부디 행운이 찾아오기를.

닫는 말

진정한 발견이란 새로운 땅을 찾아 나서는 것이 아니라 새로운 눈으로 주위를 보기 시작하는 것이다.

_마르셀 프루스트

젊은 시절 참 많은 꿈을 꾸었습니다. 원하는 것을 이루고 싶은 마음에 방황하는 날도 많았습니다. 그렇게 나이테가 한 줄씩 둘러지며 인생이란 것이 품었던 마음 그대로만 되지 않는다는 것도 알게 되었습니다. 꿈이란 늘 같을 수 없고, 때에 따라 달라진다는 것도 깨닫게 되었죠. 그렇다고 마음속에 있던 꿈이 아예 사라져 버린 것은 아니었어요. 더 이상 아무것도 할 수 없고, 될 수 없을 것만 같던 시간. 어떻게든 살아보고자 곰처럼 붙들게 된 것이 기록하는 일이었습니다. 사라져 버릴 순간들을 모으다 보니 소중했던 시절들이 영화처럼 떠오르더라고요. 제 추억의 서랍장을 활짝 열고 이제 더는 볼 수 없어 그

립고 내내 미안한 마음을 가졌던 친구에게, 가슴 뛰게 사랑했던 남편에게, 출산의 고통을 잊게 해줄 만큼 사랑스러운 아이에게, 제게 도움을 주셨던 많은 분에게 감사한 마음을 담아 기록했습니다. 그렇게 한 줄씩 써 내려가니 진심을 담았던 것들에 더욱 집중할 수 있었고 그러면서 제가 뭘 좋아했던 사람인지, 어떤 걸 하고 싶었는지 알아차릴 수 있었습니다.

하루를 열어가며 적었던 작은 도전들이 눈앞에서 실현되는 소중한 경험을 하고 있습니다. 물론 늘 성공할 수만은 없습니다. 그렇지만 어때요. 지나간 시간을 정리해 보고 지금의 나에게 집중하며 새로운 것에 도전하는 것만으로도 충분히 가치 있는 일 아닐까요? 제 선택으로 만들어낸 소소한 행복을 오래도록 보듬어가기 위해 사라져 버린 줄 알았던 제 안의 작은 희망의 씨앗을 심어 봅니다.

묵묵히 글을 쓰며 얻은 자신감으로, 타고난 유난스러움으로 인생 2막에 흠뻑 빠져 살 수 있다면 참 좋겠습니다. 제가 심은 작은 씨앗이 어떤 나무로 얼마나 크고 풍성하게 자랄지 잘 모르겠습니다. 다만, 여전히 씨앗을 심고 싶은 마음, 살아가기를 원하는 마음, 한 발 더 나아가기를 희망하는 그 마음만은 한결같습니다. 살아가는 것 자체가 꿈을 꾸는 것이라 생각하면 도전하는 것이 나름 즐거워집니다. 한 번뿐인 인생, 내가 소중하게 생각하는 것들로 채워가며 노년이 되어도 작은 도전을 이어가는 늘 깨어있는 사람으로 나이 들고 싶습니다.

머지않은 때에 능소화가 지천에 활짝 피어있는 한옥에서 강아지와 고양이를 서너 마리씩 키우며 그 작은 생명들에게 애정을 담고 있을 저희 아이를 보며 살아가기를 원합니다. 남편은 미뤄두었던 자신의 이야기를 글로 쓰고 집안에 필요한 물건들을 손수 만들어가며 살아갈 테죠. 바쁘게 사느라 미처 나누지 못했던 대화들을 쏟아내며 그렇게 함께 그림을 그리고 글도 쓰면서 삶을 여행하듯 나이 들어가고 싶은 꿈이 있습니다.

새벽녘 매일 같이 써 내려간 제 간절한 글들이 저와 비슷한 엄마들에게 더 많이 가 닿을 수 있기를, 그래서 어떤 순간에도 자신을 온전히 사랑할 수 있게 되기를 바라며 오늘도 글을 씁니다.

실은, 엄마도 꿈이 있었어

2022년 3월 30일 초판 1쇄 발행
2022년 3월 30일 초판 1쇄 인쇄

지은이 | 김상래

책임편집 | 송세아
편집 | 안소라, 김소은
제작 | theambitious factory
인쇄 | 아레스트

펴낸이 | 이장우
펴낸곳 | 꿈공장 플러스
출판등록 | 제 406-2017-000160호
주소 | 서울시 성북구 보국문로 16가길 43-20 꿈공장 1층
전화 | 02-6012-2734
팩스 | 031-624-4527
이메일 | ceo@dreambooks.kr
홈페이지 | www.dreambooks.kr
인스타그램 | @dreambooks.ceo

잘못 만든 책은 구입하신 서점에서 바꾸어 드립니다.

꿈공장+ 출판사는 모든 작가님의 꿈을 응원합니다.
꿈공장+ 출판사는 꿈을 포기하지 않는 당신 곁에 늘 함께하겠습니다.

ISBN | 979-11-92134-08-6

정 가 | 14,000원